van Marijn voor Marcella

KU-189-739

PINKELTJE EN DE RAKET

PINKELTJE
EN DE RAKET

DOOR

DICK LAAN

met plaatjes van REIN VAN LOOY

VAN HOLKEMA & WARENDORF · WEESP

ISBN 90 269 0316 2
Twaalfde druk 1984
© Unieboek B.V./Uitgeverij Van Holkema & Warendorf, Weesp
Omslag en illustraties: Rein van Looy
Druk: Veenman B.V., Wageningen
Verspreiding voor België: Standaard Uitgeverij, Antwerpen

AAN DE OUDERS, VOORLEZERS EN VOORLEZERESSEN

„Hè, hè!" zullen sommige ouders, voorlezers en voorlezeressen wel zeggen, „nu begint Dick Laan ook al met raketten; binnenkort schrijft hij nog over ‚Pinkeltje en de atoombommen'!"

Neen, beste mensen, daarvoor hoeft u écht niet bang te zijn!

Maar waarom dan wél een boek, waarin Pinkeltje met een raket naar de maan gaat? Zoveel schrijvers hebben immers voor de kinderen al boeken geschreven over reizen naar de maan. Nu komen er zeker ook nog maanmannetjes op de proppen!

Neen, maanmannetjes komen er niet aan te pas!

Maar waarom dan die raket?

Die raket wél, omdat de kinderen mij er zelf zo vaak om hebben gevraagd, zoals dat ook destijds het geval is geweest met de rovers uit het boek ‚Pinkeltje en de Flonkersteen'.

Ik kreeg vorig jaar diverse malen te horen:

„Nu moet u Pinkeltje eens in een raket laten gaan; dàt zou fijn zijn!"

Ik vroeg:

„Maar weten jullie dan, wat een raket is?"

„Natuurlijk weten we dat; dat is zo'n ding, dat de lucht in gaat."

Ik twijfelde nog, maar toen ik in die tijd een kleuterschool bezocht en aan een kleuter, die een tekening had gemaakt, vroeg:

„En wat heb jij daar getekend? Is dat een toren?" antwoordde hij diep beledigd:

„Nee, dat is een raket!"

De kinderen hebben het pleit weer gewonnen en daarom gaat Pinkeltje de lucht in met een raket.

Ik hoop maar, dat ze het raket-avontuur mooi zullen vinden.

DICK LAAN

MENEER DICK LAAN SCHRIKT ERG

Het was een heel warme dag midden in de zomer, en daarom had meneer Dick Laan het raam van zijn kamer wijd open gezet.

Op de schrijftafel van meneer Dick Laan lagen een heleboel vellen schrijfpapier, en op niet één van die vellen was iets geschreven.

Meneer Dick Laan zat in een luie stoel voor het raam en Snorrebaard, de poes, zat op zijn schoot.

In een klein hondemandje sliep, lekker in elkaar gerold, Wiebelstaartje, het hondje.

Meneer Dick Laan aaide de poes eens over zijn kop en zei:

„Weet je, wat ik écht graag zou willen, Snorrebaard? Ik wilde, dat ik Pinkeltje en Pinkelotje weer eens zou zien, en dat ik weer eens gezellig met ze zou kunnen praten. Jammer, dat Pinkeltjesland, waar Pinkeltje en Pinkelotje wonen, zo heel, héél ver hier vandaan ligt."

„Snorrrrr-snorrrrr-snorrrrr," zei Snorrebaard en keek even met één oog naar meneer Dick Laan, of hij zeggen wilde:

„Ja, ik zou Pinkeltje en Pinkelotje ook wel weer eens willen zien en spreken."

„Ook de kinderen willen zo graag weer nieuwe avonturen van Pinkeltje horen," zei meneer Dick Laan, „maar als Pinkeltje mij zijn avonturen niet komt vertellen, kan ik geen nieuw boek maken."

„Snorrrr-snorrrr-snorrrr, dat begrijp ik best," zei Snorrebaard.

Natuurlijk kon meneer Dick Laan niet verstaan wat Snorrebaard tegen hem zei, want de dierentaal kon hij écht niet verstaan, maar Wiebelstaartje kon de woorden van Snorrebaard wél verstaan, en daarom zei het hondje:

„Waf! Ik zou het ook reuze fijn vinden, als Pinkeltje hier weer eens kwam binnenstappen."

Toen keek Wiebelstaartje Snorrebaard aan en zei:

„Meneer Dick Laan heeft gelijk. Pinkeltjesland is hier zó ver vandaan, dat Pinkeltje wel nooit meer hier zal komen."

„Ja," zuchtte Snorrebaard, „we zullen Pinkeltje wel nooit meer zien."

Hieeeeeeeeeeeeeeeee-hieeeeeeeeeeeeeeee-hieeeeeeeeeeeeeeeee-hieeeeeeeeeeeeeee-hieeeeeeeeeeeeeeee!!!

Wat was dat voor een raar akelig gegier?

Meneer Dick Laan sprong van schrik overeind en de arme Snorrebaard rolde zomaar van zijn schoot op de grond.

Wiebelstaartje zat opeens rechtop in zijn mand, maar van angst kon hij niet blaffen.

Hieeeeeeee-hieeeeeee-hieeeeeee!!!

Door het open raam was een groot, raar zilveren ding naar binnen komen vliegen.

Achter uit het ding knetterde een vuurvlam.

Het ding vloog gierend door de kamer rond.

Meneer Dick Laan was achter een grote stoel weggekropen, en Snorrebaard en Wiebelstaartje zaten onder de schrijftafel.

Daar vloog het ding naar de schrijftafel toe, en bleef er boven hangen.

Nog steeds kwam de vuurvlam er knetterend onder uit.

Maar wat was dat?

Neen maar, dát was vreemd!

De vuurvlam werd al kleiner en kleiner, en heel langzaam

zakte het zilveren ding naar beneden tot het op de schrijftafel neerkwam.

Toen bleef het stil staan.

Meneer Dick Laan keek eens voorzichtig van achter de stoel, waar hij verscholen zat, naar zijn schrijftafel.

Meneer Dick Laan keek naar dat vreemde ding en dacht:

„Wat zou dat toch zijn? Het ziet er net uit als een klein limonadeflesje, maar de hals is veel korter. Zou het van écht zilver zijn? Het glanst zo mooi!"

Meneer Dick Laan begreep er niets van.

Het ding stond daar maar stil en er bewoog niets meer aan.

Heel voorzichtig liep meneer Dick Laan nu naar de schrijf-tafel, maar hij durfde dat vreemde ding toch niet op te pakken.

Opeens gingen de ogen van meneer Dick Laan wijd open, want wat gebeurde daar???

Boven in dat vreemde ding ging opeens een klein deurtje open en wie denk je, dat er toen naar buiten keek?

Juist, goed geraden!

Pinkeltje!!!

„Dag Dick Laan," riep Pinkeltje, „wat kijk je verschrikt?"

Toen begon meneer Dick Laan vrolijk te lachen en riep:

„Wat fijn, dat je weer bij me bent, Pinkeltje, maar vertel me eerst eens, wat je nu weer voor vreemds hebt bedacht."

„Eerst even opletten," riep het kleine mannetje, „want kijk nog eens hier."

Toen kwam er naast het hoofdje van Pinkeltje een ander hoofdje te voorschijn.

„Dag Dick Laan," riep dat hoofdje, „leuk om u weer te zien!"

„Dag Pinkelotje," riep Dick Laan, „wat reuze fijn om jullie allebei weer te zien."

Ook Snorrebaard en Wiebelstaartje vonden het fijn, want ze sprongen en dansten door de kamer; ze sprongen zelfs op de schrijftafel, en dat vond meneer Dick Laan allemaal zo maar goed.

Uit het deurtje van het vreemde ding zakte nu een klein laddertje naar omlaag en daarlangs klommen Pinkeltje en Pinkelotje naar beneden, op de schrijftafel.

„Weet je wat dit voor een ding is?" vroeg Pinkeltje.

„Het lijkt wel een raket," zei meneer Dick Laan.

„Dat is het ook!" riep Pinkeltje, „en ik kan de raket besturen en overal heen vliegen waar ik maar naar toe wil.

We hebben weer een heleboel avonturen beleefd, en die komen we je nu vertellen, dan kun je ze weer opschrijven voor de kinderen."

Nu, je begrijpt dat meneer Dick Laan héél erg blij was, toen hij dat hoorde.

Hij ging gauw eerst thee zetten, haalde toen vlug de twee heel kleine kopjes voor Pinkeltje en Pinkelotje uit de kast en ging toen voor zijn schrijftafel zitten.

Snorrebaard en Wiebelstaartje kwamen er ook bij, en ze mochten zelfs op de schrijftafel zitten.

Toen begon Pinkeltje te vertellen, en hij vertelde de hele dag en de halve nacht aan één stuk door!

Alles wat Pinkeltje vertelde, schreef meneer Dick Laan op, en dat kun je nu in dit boek allemaal lezen.

Maar voor we verder gaan, zal ik eerst nog even wat vertellen aan de kinderen die nog niet weten, wie Pinkeltje is.

Pinkeltje is een héél klein mannetje, dat niet groter is dan je pink, en hij is zó oud, dat hij zelf niet meer weet, hoe oud hij is!

Hij kan met alle dieren praten en hij kan ze natuurlijk ook goed verstaan.

Pinkeltje heeft een hele tijd in een groot huis bij de muisjes gewoond.

Toen hij daar woonde, heeft hij een brief uit Pinkeltjesland gekregen en in die brief, die door Pinkelotje geschreven was, stond:

„Lieve Pinkeltje, kom je alsjeblieft weer gauw naar Pinkeltjesland terug?"

Pinkeltje is toen dadelijk teruggegaan naar Pinkeltjesland en naar het dorp, waar hij vroeger had gewoond.

Dat dorp heet Zilvertorendorp, omdat de kerktoren daar van écht zilver is.

Toen is Pinkeltje met Pinkelotje getrouwd en in Zilvertorendorp blijven wonen.

Nu wil je natuurlijk weten, waar Pinkeltjesland is.

Dat kan ik je niet precies vertellen, maar het moet ergens boven op een berg in Afrika zijn.

Je weet wel, dat Afrika het land is, waar de zwarte mensen wonen, en waar in de bossen apen, leeuwen en olifanten wonen.

Pinkeltje is altijd bang voor de mensen en de kinderen.

Pinkeltje zegt:

,,Als de mensen me zien, pakken ze me en stoppen ze me misschien wel in een doosje of in een kooitje. Met kleine vogeltjes en dieren doen ze dat ook wel."

Voor meneer Dick Laan is Pinkeltje niet bang, en hij komt hem dan ook dikwijls bezoeken.

Dan vertelt hij meneer Dick Laan nieuwe avonturen en dan schrijft meneer Dick Laan al die avonturen weer in een nieuw boek.

Ziezo, nu weet je wat je weten moet en kunnen we met het verhaal beginnen.

Pinkeltje begint te vertellen, wat hij allemaal beleefde in Pinkeltjesland, vóór hij met Pinkelotje in de raket stapte om naar het huis van meneer Dick Laan te vliegen.

PINKELTJE ZIET EEN VREEMD DING
IN PINKELTJESLAND

„Hè, hè," zei Pinkeltje tegen zichzelf, terwijl hij even stil bleef staan, „wat is het vandaag warm," en wel voor de tiende maal veegde hij met een klein, rood zakdoekje zijn voorhoofd af.

Kling-kling-kling-kling-kling-kling-kling-kling-kling-kling-kling, daar sloeg de torenklok van Zilvertorendorp elf keer.

„Sapperdekriekkrak," zei Pinkeltje, „het is al elf uur; ik moet vlug voortmaken, want Pinkelotje heeft vast en zeker al een lekker kopje koffie voor mij."

Pinkeltje liep vlug verder, ging de brug over, en wandelde over het wegje naar zijn huisje, dat een eind buiten het dorp, halfweg op een berg, was gebouwd.

Toen Pinkeltje daar liep, kwam opeens vanachter een boom een lange, dunne spriet te voorschijn, die Pinkeltje in zijn hals kriebelde.

Pinkeltje bleef van schrik staan, draaide zich toen vlug om, en zag nog net de spriet achter de boom verdwijnen.

„Flauwe Sprinkelsprietje!" riep Pinkeltje, „kom maar gauw achter die boom vandaan; het is helemaal niet aardig om me zo aan het schrikken te maken."

Toen kwam vanachter de boom een kleine, groene sprinkhaan te voorschijn.

Je weet wel, dat een sprinkhaan een leuk, klein diertje is met héél lange achterpoten, waarmee het geweldig grote sprongen kan maken.

De sprinkhaan lachte even en zei:

13

„Ik was net op weg naar je huis, Pinkeltje."

„Dat tref je dan," zei Pinkeltje, „want dan krijg je vast ook wel een kopje koffie van Pinkelotje."

Samen liepen ze naast elkaar het bergpaadje op.

„Weet je, wat je moest doen, Sprinkelsprietje?" zei Pinkeltje, „spring jij nu eens even heel vlug naar mijn huis, en zeg, dat ik er aan kom; dan kan Pinkelotje alvast de koffie inschenken."

„Dat is best," zei de sprinkhaan, en hup! daar nam hij een reuze grote sprong.

Pinkeltje zag, dat Sprinkelsprietje in vier grote sprongen al voor zijn huis was.

Toen nog een klein sprongetje en daar stond de sprinkhaan voor de huisdeur en belde aan.

Pinkeltje zag de deur opengaan en Pinkelotje naar buiten komen.

Sprinkelsprietje zei iets tegen Pinkelotje, die daarna in de richting van Pinkeltje keek.

Ze zag Pinkeltje en wuifde naar hem met haar schortje.

Pinkeltje wuifde terug met zijn mutsje, en stapte wat vlugger de berg op.

Toen Pinkeltje even later het hekje van de tuin open deed, zag hij, dat Sprinkelsprietje en Pinkelotje al buiten zaten met een heerlijk kopje koffie voor zich.

Pinkeltje liep vlug naar Pinkelotje toe, gaf haar een dikke zoen en zei:

„Wat was het vandaag warm in Zilvertorendorp; ik ben maar blij, dat we buiten het dorp wonen."

Boemmmmm-panggggg!

Van schrik liet Pinkelotje het kopje koffie, dat ze voor

14

Pinkeltje ingeschonken had, op de grond vallen.

Hieeeeeeee-hieeeeeeee!!! gillend en gierend vloog er iets over hun hoofden.

„Wa-wa-wat is da-da-dat?" riep Pinkeltje verschrikt uit, en ook Pinkelotje was heel erg geschrokken.

Sprinkelsprietje had van schrik een grote sprong in de lucht gemaakt en keek angstig om zich heen.

Opeens riep hij, terwijl hij naar de top van de berg wees:

„Kijk eens, wat een dikke, witte rook er uit de berg komt!"

Alle drie keken nu verwonderd naar de dikke, witte rook-wolk boven op de berg.

„Wat kan dat nu zijn?" vroeg Pinkelotje een beetje bang.

„Ik weet het niet," zei Pinkeltje, „misschien doet de heel geleerde meneer Pinkelprof het wel. In het dorp vertelden een paar Pinkeltjes mij, dat die meneer Pinkelprof iets heel, heel nieuws heeft bedacht."

„Nu," zei Pinkelotje, „als hij dit gierende ding bedacht heeft, vind ik het maar een reuze lawaaiding."

Hieeeee-hieeeee-hieeeee-hieeeee-hieeeee! daar vloog alweer zo'n vreemd ding door de lucht.

„Kijk eens! kijk eens!" riep Sprinkelsprietje, „achter dat ding hangt een grote vuurvlam! Och, och, wat een vreemd ding is het."

„Weet je wat ik ga doen?" zei Pinkeltje, „ik ga dadelijk naar de burgemeester en dan zal ik hem vragen, of die dingen van meneer Pinkelprof niet erg gevaarlijk zijn."

„Dat moet je doen, Pinkeltje," zei Pinkelotje, „stel je eens voor, dat zo'n ding op je hoofd terecht kwam!"

„Ga maar vlug naar de burgemeester, Pinkeltje," zei Sprinkelsprietje, „want dat is een heel goed plannetje van je."

„Pinkeltje, ik zal je eerst een ander kopje koffie geven," zei Pinkelotje, „en jij, Sprinkelsprietje, wil jij nog een kopje koffie?"

„Graag, Pinkelotje," zei de sprinkhaan, en hij ging weer netjes op zijn stoel zitten.

PINKELTJE GAAT NAAR DE BURGEMEESTER

Met grote stappen liep Pinkeltje even later de berg weer af, terug naar Zilvertorendorp.

Toen Pinkeltje over de brug het dorp binnenliep, zag hij bij de kerk een heleboel Pinkelmannen en Pinkelvrouwen staan, die allemaal naar de lucht wezen.

„Pinkeltje Witbaard," riep een van de Pinkelmannen, toen hij Pinkeltje zag aankomen, „heb jij die vreemde dingen in de lucht ook gezien?"

„Ja zeker, Pinkeltje Flapoor," zei Pinkeltje, „ik kom juist naar het dorp terug om aan onze burgemeester te vragen, of die vreemde dingen gevaarlijk zijn en op onze hoofden kunnen vallen."

„Dat is een goed plan van je, Pinkeltje Witbaard," riepen een paar Pinkelmannen en -vrouwen, „wij gaan allemaal met je mee!"

Met zijn allen liepen ze toen mee, achter Pinkeltje aan, naar het grote huis, waarin de burgemeester woonde.

Nu weten jullie natuurlijk, dat een burgemeester een heel erg deftige meneer is, die de baas is in een dorp of in een stad.

De burgemeester was thuis en wilde juist even een beetje in zijn luie stoel gaan slapen, toen hij door het raam van zijn kamer al die Pinkelmannen en -vrouwen zag aankomen.

„Wat is dat nu?" vroeg de burgemeester verbaasd aan zijn vrouw, „wat zouden al die Pinkeltjes willen? Kijk, voorop loopt Pinkeltje Witbaard! Ik zal maar naar buiten gaan, om te vragen, wat er is, en wat ze willen."

Deftig stapte de burgemeester de kamer uit en naar buiten.

Pinkeltje, die de burgemeester de deur zag uitkomen, liep dadelijk naar hem toe en zei, terwijl hij netjes zijn mutsje afnam:

„Meneer de burgemeester, we komen U vragen wat die vreemde dingen zijn, die door de lucht vliegen, en we willen óók weten of ze gevaarlijk zijn. We zijn er allemaal een beetje bang van, ziet U."

Toen zei de burgemeester:

„Pinkeltje Witbaard, ik weet ook niet precies, wat dat voor dingen zijn, maar ik weet wel, dat de heel geleerde meneer Pinkelprof die vreemde dingen maakt. Ik heb gehoord, dat hij iets heeft bedacht en gemaakt, waarmee je héél hard door de lucht kunt vliegen. Je gaat dan nog véél harder dan een vliegmachine!"

„Wel, wel, wel!" zei Pinkeltje, „en kunnen die vreemde dingen op onze hoofden vallen?"

„Dat geloof ik niet," zei de burgemeester, „maar als ik de geleerde meneer Pinkelprof zie, zal ik het hem vr......"

Hieeeee-hieeeee-hieeeeeeee!!! en wéér vloog met veel lawaai zo'n vreemd ding over Zilvertorendorp heen.

Alle Pinkeltjes en ook de burgemeester keken verschrikt naar boven, naar de lucht, en allemaal zagen ze achter uit het ding een lange, grote vuurvlam komen.

Heel gauw werd het ding kleiner en kleiner, tot het helemaal verdwenen was.

„Ik vind het maar griezelige dingen," zei Pinkeltje Flapoor.

Toen zei Pinkeltje tegen de burgemeester:

„Meneer de burgemeester, vindt U het goed, dat ik naar die geleerde meneer Pinkelprof ga, om hem te vragen, of die dingen gevaarlijk zijn en of ze op onze hoofden kunnen vallen?"

Dat vond de burgemeester heel best.

Tóch duurde het nog een poosje, voor Pinkeltje naar meneer Pinkelprof zou gaan.

Dat hoor je dan in het volgende hoofdstuk.

PINKELTJE MOET IETS *BIZONDERS* ZOEKEN

Prrrrrrrrt-prrrrrrrrt-prrrrrt!

Op een klein motorfietsje kwam een heel mooi aangeklede Pinkelman Zilvertorendorp binnen tuffen.

Voor het huis van de burgemeester hield hij stil en stapte af.

Pinkeltje, die juist met Pinkeltje Flapoor om de hoek van de straat kwam, zag die mooie Pinkelman bij de burgemeester aanbellen.

„Zeg, Pinkeltje Witbaard," zei Pinkeltje Flapoor, „wat is dat voor een mooi aangeklede meneer, die daar voor de deur van het huis van de burgemeester staat? Kijk eens, wat een mooi pak hij aan heeft. Zie je al die gouden knopen op zijn vuurrode jas en die gouden strepen op zijn blauwe broek? Weet jij wat dat voor een Pinkelman is?"

„Ja, dat weet ik wel," antwoordde Pinkeltje, „dat is een soldaat van de koning, die in de Goudentorenstad woont."

„Wat zou die Pinkeltjessoldaat hier komen doen?" vroeg Pinkeltje Flapoor weer.

„Dat weet ik ook niet," zei Pinkeltje, en samen bleven ze kijken naar de Pinkeltjessoldaat, die nu naar binnen stapte.

Pinkeltje en Pinkeltje Flapoor bleven nog even staan kijken en praten.

Net toen ze verder wilden wandelen, kwam de burgemeester naar buiten hollen en riep:

„Pinkeltje Witbaard, wil je even bij me komen?"

„De burgemeester roept me, Pinkeltje Flapoor," zei Pinkeltje, „ik moet vlug naar hem toe gaan. Dag Pinkeltje Flapoor!"

Toen Pinkeltje bij de burgemeester kwam, zei deze:

„Pinkeltje Witbaard, ga eens vlug met me mee; er is een Pinkelsoldaat van de koning bij me, en die soldaat wil jou zien en spreken."

„Mij?" riep Pinkeltje verbaasd uit, „wat wil die soldaat? Ik moet toch niet gaan vechten voor de koning, want vechten doe ik niet."

„Neen, neen," zei de burgemeester, „het gaat over heel wat anders; ga maar gauw mee!"

Toen ze in de kamer van de burgemeester kwamen, zat daar de mooie Pinkelsoldaat in een grote stoel.

Meteen stond de Pinkelsoldaat op en vroeg:

„Bent u meneer Pinkeltje Witbaard?"

„Ja, meneer de soldaat," zei Pinkeltje een beetje verlegen.

Toen zei de Pinkelsoldaat deftig:

„Meneer Pinkeltje Witbaard, koning Pinkelpracht heeft tegen mij gezegd, dat ik u moest gaan opzoeken om aan u te vragen, of u voor onze koningin Pinkelschoon een heel mooi, heel *bizonder* cadeau wilt zoeken."

Pinkeltje deed zijn ogen van verbazing wijd open en vroeg:

„Moet ik een heel bizonder cadeau gaan zoeken voor de koningin? Maar wàt wil de Koning dan? Wàt moet ik gaan zoeken?"

„Dat zal ik u vertellen," zei de Pinkelsoldaat, „de koning weet, dat u erg veel op reis bent geweest, en nu dacht de koning, dat u wel iets heel *bizonders* zou kunnen vinden; iets, dat nog nooit in Pinkeltjesland is geweest."

„Maar, maar," stotterde Pinkeltje, „ik weet heus niets, en ik ben ook helemaal niet zo knap, als de koning wel denkt."

Toen begon de Pinkelsoldaat te lachen en zei:

„Wij weten allemaal wie Pinkeltje Witbaard is en we weten ook hoe flink en goed hij alles altijd doet. De koning is nog steeds erg blij met de prachtige parels, die u voor de koningin hebt weten te vinden. U zult vast wel iets heel *bizonders* kunnen vinden."

Toen gaf de soldaat Pinkeltje en de burgemeester een hand, zei deftig goedendag en liep de kamer uit.

De burgemeester deed vlug de buitendeur open en Pinkeltje zag, hoe de Pinkelsoldaat op zijn motorfiets stapte.

Prrrt-prrrt-prrrt! daar reed hij weer het dorp uit, terug naar Goudentorenstad.

Toen de burgemeester weer binnen kwam, zuchtte Pinkeltje heel erg diep, keek de burgemeester wat verdrietig aan en zei:

„Wat moet ik nu doen, burgemeester? Wat voor bizonders moet ik zoeken? Waar haal ik iets vandaan, dat geen enkele Pinkel ooit heeft gezien?"

„Dat weet ik ook niet," zei de burgemeester, „maar ..."
Hieeeeee-hieeeeee! daar vloog weer zo'n vreemd ding van meneer Pinkelprof over het huis van de burgemeester.

Pinkeltje keek de burgemeester aan en de burgemeester keek Pinkeltje aan, en toen zei de burgemeester:

„Die vreemde dingen maken me nog doof; ik zal toch eens aan die meneer Pinkelprof zeggen, dat hij die vreemde dingen niet meer mag laten rondvliegen."

„Dat is goed," zei Pinkeltje, „maar nu ga ik toch naar huis, want Pinkelotje weet vast niet waar ik blijf."

Pinkeltje gaf de burgemeester netjes een hand en liep toen vlug het huis uit.

PINKELOTJE HEEFT EEN PLANNETJE

Toen de zon die avond was ondergegaan, en het buiten tóch nog lekker warm was, zei Pinkelotje tegen Pinkeltje:

„Zullen we nog even buiten gaan zitten en in de tuin een kopje thee drinken?"

„Hè ja," zei Pinkeltje, „dat lijkt me echt gezellig."

Pinkeltje haalde gauw twee gemakkelijke stoelen en zette die voor het huis in het gras.

Daarna haalde hij een klein tafeltje en zette dat tussen de stoelen in.

Pinkelotje kwam al gauw met een mooi theeblad, waarop de theepot met de theekopjes en een trommel met koekjes stonden.

Pinkeltje lag languit in de gemakkelijke stoel en zuchtte eens heel diep.

„Wat is er toch?" vroeg Pinkelotje.

„Och," zei Pinkeltje, „ik moet voor koning Pinkelpracht iets heel bizonders zoeken. De koning wil iets héél bizonders aan de koningin geven, maar ik weet niet wat voor bizonders ik moet zoeken."

„Wat is iets heel bizonders?" vroeg Pinkelotje.

„Iets bizonders," zei Pinkeltje, „is iets, dat je haast nooit ziet, waarvan je haast nooit hoort en dat je haast nooit vindt."

„Nu begrijp ik het," zei Pinkelotje, „je kunt bijvoorbeeld een heel bizondere bloem vinden en dat is dan een bloem, zoals je er haast nooit een vindt of ziet!"

„Juist," zei Pinkeltje, „en nu moet ik iets héél bizonders

zoeken voor de koning; iets, wat niet in Pinkeltjesland te vinden is."

En wéér zuchtte Pinkeltje heel, héél diep.

Langzaam kwam de maan boven de bomen uitkijken.

Het was een prachtige, volle maan, die een heleboel licht gaf. Pinkelotje keek eens naar de maan en opeens riep ze:

„Weet je, wat je moet doen, Pinkeltje? Je moet aan het mannetje op de maan vragen, of hij niet iets heel bizonders voor je weet!"

Pinkeltje keek ook eens naar de maan en zei:

„Ik weet helemaal niet, of er wel een mannetje op de maan is en als er nu eens een mannetje op de maan zou zijn, hoe moet ik daar dan komen?"

Dat wist Pinkelotje ook niet, en daarom zei Pinkelotje dan ook maar niets meer.

Opeens gaf Pinkeltje een harde klap op de tafel.

Hup! daar vlogen de theekopjes een heel eind de lucht in en vielen toen zo maar in het gras.

„Hé, zeg! Wat doe je nu?" riep Pinkelotje erg verschrikt.

Maar Pinkeltje riep:

„Ik weet het! Ik ga morgen aan die geleerde meneer Pinkelprof vragen, of die niet een maniertje weet, om op de maan te komen. Misschien gaat het wel met een van die rare dingen, die hij door de lucht laat vliegen."

Opeens sprong Pinkeltje uit zijn stoel overeind en riep:

„Ik ga nu dadelijk naar hem toe; ga je mee, Pinkelotje?"

Dat deed Pinkelotje natuurlijk, en samen liepen ze even later de berg af, naar Zilvertorendorp, waar de geleerde meneer Pinkelprof woonde.

Toen ze bij het huis van meneer Pinkelprof kwamen, en

daar aangebeld hadden, deed meneer Pinkelprof zelf de deur open.

„Dag meneer Pinkelprof," zei Pinkeltje beleefd, „ik ben Pinkeltje Witbaard en dit is mijn vrouw Pinkelotje."

Meneer Pinkelprof stak meteen zijn hand uit en zei:

„Wat aardig van u, Pinkeltje Witbaard en ook van u, mevrouw Pinkelotje, om me eens te komen opzoeken. Komt u maar gauw binnen, en vertelt u dan maar, waarmee ik u helpen kan."

Toen Pinkeltje en Pinkelotje in de kamer van meneer Pinkelprof kwamen, zagen ze overal aan de muren erg geleerde tekeningen van machines hangen.

Ook de schrijftafel van meneer Pinkelprof lag vol met boeken en tekeningen.

Meneer Pinkelprof gaf Pinkeltje en Pinkelotje een stoel en ging toen zelf achter zijn schrijftafel zitten.

„Meneer Pinkelprof," zei Pinkeltje, „ik moet voor de koning iets héél bizonders zoeken, want hij wil de koningin een heel bizonder cadeau geven. U begrijpt, dat het erg moeilijk voor mij is om iets heel bizonders te vinden. Pinkelotje en ik dachten, dat het mannetje op de maan wel iets heel bizonders voor ons zou weten, maar hoe kunnen we dat mannetje te spreken krijgen? Nu zien we elke dag van die vreemde dingen door de lucht vliegen, en ze zeggen, dat u die dingen maakt en laat vliegen. Kunnen we misschien met zo'n vreemd ding door de lucht naar de maan vliegen?"

Meneer Pinkelprof trok eens aan zijn baard, keek toen Pinkeltje en daarna Pinkelotje aan en zei:

„Het is misschien wel mogelijk om met een van mijn

nieuwste raketten naar de maan te vliegen, maar dan moet
u eerst leren om zo'n raket te besturen."

„Dat wil ik graag leren," riep Pinkeltje blij uit, „wanneer
gaan we er mee beginnen?"

Toen moest meneer Pinkelprof even lachen en zei:

„Ho, ho! zo gauw kan dat niet; eerst moet mijn nieuwe
raket klaar zijn. Maar omdat u iets héél bizonders voor de
koningin moet zoeken, zal ik de raket vlug klaarmaken."

Toen stond meneer Pinkelprof op en zei:

„Ik moet nu weer aan het werk; ik zal u wel waarschuwen
als de raket klaar is."

„Heel graag," zei Pinkeltje en nadat hij en Pinkelotje
afscheid hadden genomen van meneer Pinkelprof, liepen
ze vrolijk naar huis.

PINKELTJE ZIET DE GROTE RAKET

Elke avond als Pinkeltje naar boven, naar die grote ronde maan keek, zei hij tegen Pinkelotje:

„Ik hoop maar, dat meneer Pinkelprof gauw klaar zal zijn met het maken van zijn maanraket."

Gelukkig kwam er een paar dagen later een brief van meneer Pinkelprof, en in die brief stond, dat de maanraket bijna klaar was en dat Pinkeltje de volgende dag mocht komen kijken.

Nu, je begrijpt, dat Pinkeltje reuze blij was met die brief en de volgende morgen ging hij dan ook, zo vlug mogelijk, naar meneer Pinkelprof.

Toen Pinkeltje bij het huis van meneer Pinkelprof kwam, zat deze al in zijn kleine, rode auto op hem te wachten.

Ze reden nu samen naar de plaats, waar meneer Pinkelprof de grote maanraket had gemaakt.

Die plaats was een heel eind weg van Zilvertorendorp.

Ze reden door een groot bos langs de berg, tot Pinkeltje opeens een groot, donker gat in de berg zag.

Meneer Pinkelprof deed de lampen van de auto aan en reed het donkere gat in.

Tjonge-jonge, wat reden ze door een lange tunnel.

Telkens als ze bij een bocht kwamen, toeterde meneer Pinkelprof. Opeens zag Pinkeltje heel in de verte het daglicht; daar was natuurlijk het einde van de tunnel.

Meneer Pinkelprof reed nu nog vlugger, en het duurde dan ook niet lang, of ze reden de tunnel uit.

Maar wat Pinkeltje nu zag?!

28

Hij kon zijn ogen haast niet geloven.

Daar, op een heel grote, open plaats, waar de bergen vlak omheen stonden, zag hij allemaal kleine huisjes, en in het midden tussen die huisjes stond een groot, rond, glimmend ding.

Een heleboel Pinkelmannetjes liepen druk heen en weer.

„Daar staat de maanraket," zei de geleerde meneer Pinkelprof, „we zijn er al bijna helemaal mee klaar."

Pinkeltje kon van verbazing niets zeggen.

Pinkeltje zag, dat over de hele maanraket een net van héél fijne draden was gespannen.

Overal in die draden zaten kleine spinnetjes, die met hun pootjes de raket prachtig glad en glimmend aan het poetsen waren.

Een heleboel Pinkelmannen waren onder de raket bezig

om kleine, rode bolletjes naar binnen te dragen.

Die rode bolletjes werden door een massa mieren naar de Pinkelmannen gebracht.

„Wat zijn dat voor rode bolletjes?" vroeg Pinkeltje aan meneer Pinkelprof.

„Dat zijn vuurbolletjes," zei meneer Pinkelprof, „die worden door de vuurvliegen in het bos gemaakt. Die bolletjes zorgen er voor, dat de raket kan vliegen. Er moeten heel, héél veel van die bolletjes in de raket gestopt worden, want anders kan hij niet vliegen. In het bos zijn daarom honderden en honderden vuurvliegen van die bolletjes aan het maken. De bolletjes die klaar zijn worden door de mieren, die je daar ziet lopen, naar de Pinkelmannen gebracht en de Pinkelmannen stoppen de vuurbolletjes in de raket. Ga nu maar mee, dan zal ik je een andere, kleinere raket laten zien."

Samen liepen ze langs de grote raket, tot ze een eindje verder bij een kleine raket kwamen.

Bij die kleine raket stond een huisje met een groot raam. Meneer Pinkelprof nam Pinkeltje mee naar binnen in dat huisje. Voor het grote raam zag Pinkeltje een tafel staan met een heleboel knoppen en lichtjes er op.

Meneer Pinkelprof drukte op een knop en er ging op de tafel een rood lichtje branden.

Toen ...... ring-ring-ring-ring-ring-ring-ring-ring-ring, begonnen er wel honderd bellen te rinkelen!

Het was zó'n lawaai, dat Pinkeltje verschrikt om zich heen keek. Net wilde hij wat vragen, toen er ergens iets heel, héél erg begon te sissen.

Het sissen werd zó erg, dat je de bellen niet meer kon

horen! Pinkeltje keerde zich vlug om naar meneer Pinkelprof. Hij wees door het raam naar buiten naar de kleine
raket.

Pinkeltje zag, dat er onder uit de kleine raket een heleboel dikke, witte rook kwam.

Toen werd die dikke, witte rook langzaam rood, vuurrood
en nóg roder.

Het lawaai werd nog veel erger en opeens:

Boem! pang! pioeeeee!!! daar ging de kleine raket omhoog. Eerst ging hij langzaam, maar toen steeds sneller en
sneller. Pioeeeee! hieeeeeee!!!

De raket schoot recht de lucht in, terwijl er een grote,
rode vlam onderuit kwam.

Al heel gauw was de raket zó ver, dat Pinkeltje hem niet
eens meer kon zien.

Toen keerde Pinkeltje zich om en vroeg aan meneer
Pinkelprof:

„Wat gaat er nu met die raket gebeuren? Vliegt die raket
nu helemaal weg en komt hij nooit meer terug?"

Toen lachte meneer Pinkelprof en zei:

„Let maar eens goed op, Pinkeltje Witbaard!"

Meneer Pinkelprof drukte weer op een paar andere
knoppen en het duurde niet lang of, hieeeeee!!! daar kwam
in de verte de raket weer aanvliegen, recht op het huisje aan.

O! o! o! wat schrok die Pinkeltje!

Hij wilde hard het huisje uitlopen, maar meneer Pinkelprof greep hem stevig bij een arm en wees naar boven.

Pinkeltje keek naar boven en ...... daar zag hij de raket
stil in de lucht hangen, vlak boven de plaats, vanwaar de
raket was weggegaan!

Er kwam nog wel een vlam onder uit de raket, maar die vlam werd kleiner en kleiner en langzaam zakte de raket, tot hij op zijn plaats, op de grond, stond.

„Wat geweldig knap van u om zoiets te maken!" riep Pinkeltje uit. Meneer Pinkelprof lachte en zei:

„Het is ook een heel werk geweest om de raket bestuurbaar te maken."

„Wat zegt u? Bestuurbaar? Wat is dat eigenlijk?" vroeg Pinkeltje.

„Bestuurbaar," antwoordde meneer Pinkelprof, „wil zeggen, dat ik de raket overal naar toe kan sturen, waar ik maar wil. Naar boven; naar beneden; naar rechts; naar links. Ik kan de raket zelfs in de lucht stil laten staan!"

Pinkeltje wreef eens met zijn vinger langs zijn neus, en zei toen:

„Ik begrijp er niets van, maar ik vind u alleen heel, héél erg knap!"

's Avonds vertelde Pinkeltje alles precies aan Pinkelotje en toen hij uitverteld was, zei Pinkelotje:

„Wat is die meneer Pinkelprof heel erg geleerd. Maar nu wil ik naar bed, want het is al laat geworden. Ga je mee, Pinkeltje?"

Je begrijpt wel, dat Pinkeltje die avond bijna niet in slaap kon komen, want aldoor moest hij aan de raket denken.

PINKELTJE GAAT MET MENEER PINKELPROF DE LUCHT IN

Het duurde nog wel een hele week, voor Pinkeltje iets van meneer Pinkelprof hoorde.

Eindelijk kreeg Pinkeltje op een morgen een brief van meneer Pinkelprof en daarin schreef hij:

Beste Pinkeltje Witbaard,

Morgen kom ik je halen met mijn auto en dan gaan we samen een klein tochtje maken met de nieuwe, grote raket. Alles is nu klaar, en als Pinkelotje het leuk vindt, mag ze ook wel meekomen om naar ons te kijken.

Heel veel groeten van

Pinkelprof.

Wat was die Pinkeltje blij met de brief!

Toen Pinkelotje de kamer binnenkwam, met het theeblad in haar handen, pakte Pinkeltje haar beet en wilde met haar de kamer ronddansen.

Maar Pinkelotje riep verschrikt:

„Laat me los, malle Pinkeltje, want anders laat ik alles op de grond vallen!"

„Je gaat toch morgen met ons mee, hè Pinkelotje?" vroeg Pinkeltje.

„Natuurlijk doe ik dat," zei Pinkelotje, „want ik wil wel eens zien, wat jullie samen gaan doen met die raket."

Toen Pinkelotje de volgende dag bij de grote raket stond en Pinkeltje een ladder opklom om door het kleine deurtje in de raket naar binnen te klimmen, werd Pinkelotje tóch wel een beetje bang, maar ze durfde het niet te zeggen.

Pinkelotje keek maar naar boven, naar de ronde raampjes in de raket.

Opeens zag ze het gezicht van Pinkeltje voor een van de ronde raampjes komen.

Pinkeltje wuifde met zijn zakdoek en Pinkelotje wuifde terug. Even later klom ook meneer Pinkelprof in de raket.

Langzaam ging de ladder omhoog en verdween in de raket, waarna het deurtje met een klap dichtsloeg.

Een Pinkelman drukte op een knop en ring-ring-ring-ring-ring-ring! begonnen alle bellen weer te rinkelen.

Alle Pinkelmannen liepen gauw een heel eind achteruit en een van de Pinkelmannen pakte Pinkelotje bij haar arm, en zei:

„Gaat u maar gauw met me mee, mevrouw, want het is veel te gevaarlijk om zo dicht bij de raket te staan."

Binnen in de raket stond Pinkeltje naar meneer Pinkelprof te kijken, die voor een wit, vierkant bord stond, dat wel zo groot was als een schoolbord en waarop een heleboel knoppen en wielen zaten.

Een wiel in het midden was wel zo groot als het stuurwiel van een auto.

Toen meneer Pinkelprof op een rode knop drukte, begon het onder de raket te sissen.

Het gesis werd steeds erger en erger; meneer Pinkelprof keek maar op het bord, waarop achter een klein raampje opeens KLAAR stond te lezen!

Toen drukte meneer Pinkelprof weer een andere knop in en ...... bruuuuu-suuuuu!!! daar bewoog de raket.

Pinkeltje keek even door het raampje en zag, dat de raket langzaam omhoog ging.

Hij zag nog net Pinkelotje met haar zakdoekje wuiven.

Juist toen Pinkeltje wilde terugwuiven, maakte de raket een heel hoog en hard geluid.

Hieeeeeeeeeeee!!!!!

Pinkeltje zag Pinkelotje opeens heel, héél klein worden; toen zag hij bossen en bergen en toen ...... toen zag hij héél Pinkeltjesland!

Alles beneden werd steeds kleiner en kleiner en het duurde maar heel even, of Pinkeltje kon niets meer van het land onder zich zien.

,,Pinkeltje,'' zei meneer Pinkelprof, ,,we zijn nu zó hoog, dat de mensen ons niet meer kunnen zien.''

Ze vlogen zo nog een paar minuten door, toen meneer Pinkelprof weer op een paar andere knoppen drukte.

Even daarna begon de raket weer naar beneden te zakken.

Meneer Pinkelprof draaide aan het grote wiel en Pinkeltje keek uit een van de ronde raampjes.

Opeens zag hij heel, héél ver onder zich de grond weer.

Brrrrr! het was net, of de grond en de bomen en de bergen recht op hem af kwamen schieten.

Meneer Pinkelprof stuurde de raket precies weer naar de plek, vanwaar ze waren weggegaan.

Pinkeltje zag, dat meneer Pinkelprof weer een andere knop indrukte en dat de raket vlak boven de grond bleef hangen.

Toen draaide meneer Pinkelprof langzaam een grote knop om; de vlam onder de raket werd kleiner en kleiner, en zachtjes zakte de raket op de grond.

Van alle kanten kwamen de Pinkelmannen aanhollen; ze riepen ,,Hoera!!'' en zwaaiden met hun mutsen.

Ook Pinkelotje kwam vlug naar de raket toelopen.

Meneer Pinkelprof deed het deurtje van de raket open; het laddertje kwam vanzelf weer naar buiten, en Pinkeltje en meneer Pinkelprof klommen langs de ladder naar beneden.

Pinkelotje holde naar Pinkeltje toe en zoende hem wel tien keer op zijn wangen.

Toen ze weer naar de kamer van meneer Pinkelprof liepen, zagen Pinkeltje en Pinkelotje ook, dat alle mieren bij elkaar stonden.

Pinkeltje riep tegen de mieren:

„Het ging reuze goed!"

Toen riepen de mieren terug:

„Hoera voor meneer Pinkelprof!!"

Zwieee-zwieee-zwieee-zwieee-zwieee-zwieee! daar kwamen wel meer dan honderd vuurvliegen aangevlogen en ze vroegen telkens:

„Was het vuur goed, meneer Pinkelprof?"

„Ja, erg best," riep meneer Pinkelprof terug, „maak nog maar een heleboel van die vuurbollen, want Pinkeltje Witbaard wil naar de maan vliegen, om te kijken, of hij het mannetje van de maan kan vinden. Hij wil het mannetje vragen of het iets heel bizonders voor onze lieve koningin Pinkelschoon weet."

„Dan gaan we meteen weer aan het werk!" riepen de vuurvliegen en zwieee-zwieee-zwieee-zwieee! daar vlogen ze weer terug naar het bos. Daarna bracht meneer Pinkelprof Pinkeltje en Pinkelotje met zijn auto weer naar hun huisje terug.

PINKELTJE EN PINKELOTJE
GAAN OP REIS NAAR DE MAAN

Nu moet je niet denken, dat Pinkeltje en Pinkelotje meteen naar de maan konden gaan.

O, neen hoor!

Pinkeltje en Pinkelotje kregen eerst een heleboel lessen van meneer Pinkelprof om te leren, hoe ze de raket moesten besturen. Ook vertelde meneer Pinkelprof, dat er op de maan helemaal geen lucht meer was.

Op de maan is niets; er zijn geen wolken, en er is zelfs geen lucht om in te ademen!

Pinkelotje vond het maar vreemd en ze vroeg dan ook:

„Als er geen lucht is, hoe kunnen de maanmannetjes dan leven?"

„Dat weet ik ook niet," zei meneer Pinkelprof, „maar in alle geleerde boeken staat, dat er op de maan geen lucht is en dat er dus geen mensen kunnen leven."

„Ik vind het maar mal," zei Pinkelotje, „maar als alle geleerde mensen het zeggen, zal het wel waar zijn."

„Maar," vroeg Pinkeltje, „hoe moeten wij daar dan leven zonder lucht?"

„We zullen je een heleboel lucht in grote trommels meegeven," zei meneer Pinkelprof, „en je krijgt ook een luchtpak van me mee." Toen kwamen er een paar Pinkelmannen met twee luchtpakken aandragen.

„Dat is bijna net zo'n pak als mijn onderwaterpak!" zei Pinkeltje, „daar heb ik ook zo'n grote, glazen bol bij, die ik over mijn hoofd moet doen, en ook van die bussen met lucht om op mijn rug te dragen."

„Ja, dat is zo," zei meneer Pinkelprof, „het luchtpak lijkt ook heel veel op het onderwaterpak."

Intussen paste ook Pinkelotje het maanpakje, dat meneer Pinkelprof voor haar had laten maken.

Toen Pinkelotje de bol over haar hoofd had gezet, zag ze er wel een beetje vreemd uit, en Pinkeltje moest dan ook heel erg lachen, toen hij naar Pinkelotje keek.

„Je bent nu net Pinkelotje Bollesnoet," zei hij.

Maar Pinkelotje vond het helemaal niet leuk, dat Pinkeltje dat zei en ze antwoordde dan ook:

„Als jij vindt, dat ik er zo mal uitzie, wil ik niet eens met je mee naar de maan."

„Pinkelotje," zei meneer Pinkelprof, „je ziet er schattig uit. Die grote bol staat je helemaal niet mal."

„Há! há! há!" lachte Pinkeltje, „en tóch lijk je precies op Pinkelotje Bollesnoet!"

„Meneer Pinkeltje Witbaard," zei meneer Pinkelprof deftig, „als u niet ophoudt met uw lieve Pinkelotje te plagen, mag u niet mee naar de maan. Dan gaan Pinkelotje en ik samen naar het mannetje van de maan."

Toen zei Pinkeltje maar niets meer, want hij was reuze bang, dat meneer Pinkelprof boos zou worden, en daarom vroeg hij maar gauw:

„Wanneer kunnen we, denkt u, op reis gaan?"

„Als jullie willen," zei meneer Pinkelprof, „kun je morgenavond gaan. Dan is het volle maan en de hemel is dan mooi helder."

Dat vonden Pinkeltje en Pinkelotje een prachtig plan en zo spraken ze af, dat ze de volgende avond om precies tien uur met de raket de reis naar de maan zouden beginnen.

„Vuurvliegen en mieren," riep Pinkeltje, „willen jullie nog een heleboel vuurbollen maken en naar de raket brengen?"

„Dat zullen we doen, Pinkeltje," riepen ze allemaal terug.

Nu wil je zeker wel geloven, dat de volgende avond in heel Zilvertorendorp niet één Pinkelmannetje of -vrouwtje thuis gebleven was.

De meesten stonden op straat of op de brug en er waren er ook velen, die op de daken van hun huizen waren geklommen; zelfs waren er een heleboel op de toren geklommen, want niemand wilde het vertrek van de raket missen.

Pinkeltje en Pinkelotje waren die avond ook al vroeg bij de raket gekomen, waar meneer Pinkelprof alles nog eens heel precies had nagekeken.

Ook waren er aldoor nog Pinkelmannen bezig vuurballen onder in de raket te stoppen.

Pinkeltje zelf klom de ladder op en af om de luchtpakken, die ze op de maan aan moesten hebben, netjes in de raket op te bergen. Ook werden er pakken met broodjes en flessen met koffie en thee in de raket gebracht.

Pinkelotje keek eens naar boven, naar de donkere hemel met al de sterren en de mooie, ronde, lichte maan, en toen werd Pinkelotje wel even een beetje bang, maar dat zei ze natuurlijk tegen niemand!

Meneer Pinkelprof keek eens op zijn horloge en zei:

„Het is nu twaalf minuten voor tien; jullie moeten nu in de raket gaan."

Pinkeltje en Pinkelotje gaven meneer Pinkelprof een stevige hand, en meneer Pinkelprof wenste hun een goede reis.

Toen klom eerst Pinkelotje de ladder op en stapte door het kleine deurtje naar binnen.

Vlug klom Pinkeltje haar na en wipte toen ook door het deurtje naar binnen.

Daarna ging de ladder omhoog en toen die binnen was, kwamen Pinkeltje en Pinkelotje nog even bij het open deurtje en wuifden naar de Pinkelmannen, de vuurvliegen, de mieren en meneer Pinkelprof.

Alle Pinkelmannen wuifden en juichten terug; ook de vuurvliegen wuifden met hun vleugeltjes en de mieren klapten in hun pootjes.

Toen ging het deurtje dicht.

Meneer Pinkelprof keek op zijn horloge en zei:

„Nog twee minuten!"

Hij drukte op een knop en ring-ring-ring-ring-ring-ring! begonnen alle bellen weer te rinkelen.

Iedereen op de grond liep vlug een eind bij de raket vandaan.

Pinkeltje stond nu voor het grote, witte bord, dat in de raket was en keek naar de klok.

Nog even en de klok zou op tien uur staan.

„Nog zes tellen," riep Pinkeltje, „nog vijf; nog vier; nog drie; nog twee; nog één!"

Toen drukte Pinkeltje de rode knop in en ...... bruuu! begonnen de vlammen onder de raket de branden.

Bruuuuuuu-suuuuuuu! daar ging de raket langzaam de hoogte in.

„Hoera! hoera! hoera!" riepen alle Pinkeltjes en dieren op de grond.

Hieeeee-hieeeee!!! steeds vlugger ging de raket omhoog en steeds groter werd de vlam onder de raket.

In Zilvertorendorp hoorde iedereen het lawaai van de raket. Opeens riepen de Pinkeltjes op de toren:

„Daar heb je hem! daar heb je hem!" en even later zagen ook de andere Pinkelmannen en -vrouwen de raket, waarin Pinkeltje en Pinkelotje hun reis naar de maan waren begonnen.

PINKELTJE EN PINKELOTJE IN DE RAKET

Nu wil je natuurlijk graag weten, hoe de reis van de raket met Pinkeltje en Pinkelotje verder ging.

Toen Pinkeltje op de rode knop had gedrukt en onder de raket het lawaai van de vlam begon, was Pinkelotje wel even geschrokken. Ze keek vlug naar Pinkeltje, maar die stond heel rustig voor het witte bord met de knoppen.

Het lawaai werd steeds groter en groter.

Hieeeeeee! hieeeeeee!! hieeeeeee!!!

Toen Pinkelotje door een van de raampjes naar buiten keek, zag ze, dat de raket langzaam de hoogte in ging.

Ze zag meneer Pinkelprof en de Pinkelmannen wuiven; toen zag ze de huizen van Zilvertorendorp, maar alles werd heel gauw kleiner en kleiner en even later werd het helemaal donker om hen heen. Gelukkig brandden er in de raket een paar kleine lampjes.

Pinkeltje stond nog steeds voor het grote bord en draaide zo nu en dan aan het grote wiel.

Pinkelotje ging op een stoeltje bij het witte bord met de knoppen zitten en vroeg:

„Gaan we nu goed?"

„Nou en of," zei Pinkeltje, „we gaan recht op de maan af! Zeg, Pinkelotje, weet je wat je moet doen? Je moet eens door een van de raampjes kijken, of je de Wolkenweide kunt zien. Misschien zien we Wolkewietje wel!"

Pinkelotje keek door een van de ronde raampjes van de raket en zei:

„Het is erg donker, maar de sterren kan ik prachtig zien.

Wat een grote sterren zijn er bij. Zouden we ook voorbij zo'n ster komen?"

„Dat weet ik niet," zei Pinkeltje, „maar zie je de Wolkenweide nog niet?"

Pinkelotje drukte haar neusje tegen het ronde raampje om nóg beter te kunnen zien, en opeens riep ze:

„Ik zie rechts een heleboel grote, lichtblauwe wolken, maar ze zijn een heel eind van ons vandaan."

Nu kwam Pinkeltje ook even door het ronde raampje kijken en toen hij, rechts in de verte, de grote, lichtblauwe wolken zag, liep hij vlug terug naar het witte bord en riep tegen Pinkelotje:

„Houd je vast! Ik ga naar de Wolkenweide toe."

Pinkeltje drukte twee groene knoppen in en draaide aan het grote wiel.

De raket ging nu naar rechts.

Och, och, wat vloog de raket met een vaart vooruit; de lichtblauwe wolken werden al groter en groter.

Toen ze dicht bij de wolken waren aangekomen, zagen Pinkeltje en Pinkelotje, dat die wolken zo plat waren als grote pannekoeken. Al die grote, platte wolken leken wel aan elkaar vast te zitten, en zo werden ze samen een heel grote wolk. Een wolk, die wel zo groot was als een heleboel weilanden bij elkaar.

„Weet je, wat ik zo vreemd vind, Pinkeltje," zei Pinkelotje, „als we op de grond staan en naar boven kijken, zijn die wolken wit of grijs, en nu, 's nachts, zien ze er blauw uit."

„Dat komt," zei Pinkeltje, „doordat de maan er nu op schijnt. In de maneschijn lijkt alles een beetje blauw."

„Och natuurlijk," riep Pinkelotje, „de wolkemannetjes hebben immers ook lichtblauwe maanlichtpakjes aan. Wolkewietje had ook zo'n pak aan!"

„Ja," zei Pinkeltje, „dat weet ik best, maar pas nu op, want dadelijk zijn we bij de Wolkenweide, en dan zet ik de raket weer rechtop en gaan we naar boven, dwars door de Wolkenweide heen."

Pinkelotje keek weer naar buiten.

De Wolkenweide kwam al dichter en dichter bij; Pinkeltje draaide aan het grote wiel en stuurde de raket tot onder de Wolkenweide. Toen trok Pinkeltje de groene knoppen uit en daar ging de raket rechtop staan en schoot snel op de wolken, boven hem, af.

Pinkeltje draaide weer een paar knoppen om en meteen ging de raket veel langzamer.

Floep! daar kwamen ze in de wolken en werd het opeens mistig om hen heen.

„Het lijkt wel, of we door een heleboel watten gaan," zei Pinkelotje. Maar het duurde niet lang, of ze kwamen door de wolken heen en konden toen over de Wolkenweide kijken.

Pinkeltje trok gauw een gele knop uit, en ...... daar bleef de raket op dezelfde plaats in de lucht hangen.

De raket hing nu vlak boven de Wolkenweide en Pinkeltje en Pinkelotje konden nu door de raampjes over de hele Wolkenweide kijken.

„Wat is die Wolkenweide hobbelig en bobbelig," zei Pinkelotje, „zouden we er over kunnen lopen?"

„Probeer het maar niet," zei Pinkeltje, „want je zou er gewoonweg door naar beneden vallen. Wij kunnen er niet lopen of staan, ook al zijn we niet groter dan een mensen-pink."

Opeens riep Pinkelotje:

„Ik zie ze! Ik zie ze! Kijk, Pinkeltje! Daar, in de verte, komen een heleboel Wolkemannen aan. Kijk eens, hoe hard ze lopen!!!"

„Je moet goed kijken, of Wolkewietje er bij is!" zei Pinkeltje, „dan ga ik aan de andere kant uit het raam kijken."

Door het andere raampje zag ook Pinkeltje overal Wolkemannen aankomen.

Wat riepen ze toch, en wat zwaaiden ze mal met hun armen.

Pinkeltje opende het raampje en toen hoorde hij, wat de Wolkemannen tegen elkaar riepen.

Ze riepen:

„Daar heb je weer zo'n akelig ding! Pak het beet en maak het stuk; sla er op! gauw! gauw! voor het ding weer weggaat!!"

Nu moet ik je eerst even vertellen, dat Wolkemannen ongeveer zo groot zijn als je arm; ze zijn dus wel tien maal zo groot als Pinkeltje.

De Wolkemannen waren dus erg boos, en ze probeerden de raket vast te pakken.

Ze schreeuwden steeds tegen elkaar:

„Pak hem vast! Duw hem terug! Sla hem stuk!"

Gelukkig zag Pinkeltje, dat de Wolkemannen, die vlakbij waren, de raket niet durfden vastpakken.

Dat kwam natuurlijk door de grote vlam, die onder uit de raket kwam.

Opeens riep een van de Wolkemannen:

„Haal de regenslangen, dan spuiten we de vlam uit!"

Toen Pinkeltje dát hoorde, schrok hij heel erg.

Stel je voor, dat ze de grote vlam zouden natspuiten en dat de vlam uitging, dan zou de raket pardoes naar beneden vallen.

Pinkeltje drukte de gele knop in; de vlam begon meer lawaai te maken en werd groter en groter.

Maar wat was dat?

De raket ging niet omhoog!

Pinkeltje deed gauw zijn raampje weer open en toen zag hij tot zijn grote schrik, dat wel honderd Wolkemannen met hun handen de raket omlaag drukten.

„O, laat los! laat los!" riep Pinkeltje, „we komen alleen maar kijken, of Wolkewietje er is."

„Dat zal wel!" riepen een paar Wolkemannen, „die nare raketten van jullie maken telkens grote gaten in onze Wolkenweide en dat willen we niet!"

Opeens sprong er een Wolkeman bij het raampje van Pinkeltje en stak zijn arm door het raampje om Pinkeltje te pakken.

Pinkeltje schrok zó erg, dat hij zich niet bewegen kon.

De hand wilde juist Pinkeltje zijn hoofdje pakken, toen Pinkelotje vlug een naald van de tafel pakte en er de Wolkeman mee in zijn hand stak.

„Au!" riep de Wolkeman en van schrik trok hij zijn hand terug.

Pinkelotje deed gauw het raampje goed dicht.

Bom-bom-bom! de Wolkemannen sloegen met hun vuisten op de raket, maar gelukkig ging de raket niet kapot, want hij was erg sterk gemaakt.

Och lieve help, daar kwamen een paar Wolkemannen met regenslangen aanlopen.

Als ze daarmee zouden gaan spuiten, zou de vlam van de raket uitgaan en zou de raket naar beneden vallen.

„Hoera! hoera!!" riepen een paar Wolkemannen, „nu zullen we jullie met die nare raket wel eens krijgen."

Maar wat was dat?

Heel in de verte kwam een Wolkeman aanrennen, zo vlug hij maar kon. Nog vóór hij bij de raket was, begon hij al te roepen:

„Afblijven! loslaten. In die raket zitten Pinkeltje en Pinkelotje, mijn allerbeste vriendjes!"

Meteen lieten de Wolkemannen de raket los en . . . . hieeeeeeee!! daar schoot de raket de lucht in.

Het ging met zo'n vreselijke vaart, dat ze in tien tellen zo ver weg waren, dat de Wolkemannen de raket haast niet meer konden zien.

„Och, och, wat jammer, dat de raket nu weg is," zuchtte Wolkewietje, „ik had Pinkeltje en Pinkelotje zo graag goedendag gezegd."

En in de raket keek Pinkelotje Pinkeltje eens aan en zei:

„Ik geloof, dat het Wolkewietje was, die riep, dat de Wolkemannen de raket moesten loslaten."

„Ja, dat geloof ik ook," zei Pinkeltje, „maar ik ben blij, dat we zonder ongelukken weggekomen zijn."

„Maar ik vind het toch erg jammer, dat we Wolkewietje niet even goedendag hebben kunnen zeggen," zei Pinkelotje.

PINKELTJE EN PINKELOTJE KOMEN OP DE MAAN

Hieeeeee!!! de raket vloog heel snel op de maan af, die al groter en groter werd.

Ze vlogen nu zó hard, dat Pinkelotje er bijna bang van werd en aan Pinkeltje vroeg:

„Wanneer komen we op de maan?"

Pinkeltje trok een heel geleerd gezicht en zei:

„Meneer Pinkelprof heeft gezegd, dat we een dag en een nacht moeten vliegen om er te komen."

„Dat is een hele tijd," zuchtte Pinkelotje, „als we nu op de maan maar iets moois of iets heel bizonders kunnen vinden, dan ben ik toch wel blij, dat we gegaan zijn."

Pinkeltje had het grote wiel op het witte bord met de knoppen vastgemaakt en kwam bij Pinkelotje aan het kleine tafeltje zitten.

„Weet je wat we nu moesten gaan doen, Pinkelotje," zei Pinkeltje, „we moesten maar een paar boterhammen gaan eten, want ik heb echt een beetje trek gekregen."

Pinkelotje haalde uit een mandje een paar boterhammen en ook twee bekers om melk of koffie in te doen.

„Ik vond het zo vreemd, Pinkeltje, dat die Wolkemannen zo boos op ons waren; we deden toch niets lelijks?"

„Och," zei Pinkeltje, „ik begrijp het wel, want telkens als meneer Pinkelprof een raket afschiet, gaat die zó hoog, dat hij een groot gat in de Wolkenweide maakt, en dan moeten de Wolkemannen dat gat weer volstoppen met wolken. Ik denk, dat dat een heel werk is. Gelukkig maar, dat Wolkewietje er net aankwam, anders hadden de Wolkemannen de raket vast stuk gemaakt."

„Ja, dat zou erg jammer geweest zijn," zei Pinkelotje.

Opeens keek Pinkelotje Pinkeltje verschrikt aan en riep:

„Maar als de raket kapot was gegaan, waren we naar beneden gevallen!"

„Ja," zei Pinkeltje, „dat heb ik wel geweten, maar ik heb het maar niet gezegd, omdat ik je niet bang wilde maken."

Toen viel er een zonnestraal naar binnen door een van de ronde raampjes.

„Daar is de zon," zei Pinkelotje, „de zon lijkt ook al groter dan vanuit ons huisje bij Zilvertorendorp."

Pinkeltje keek eens naar het grote, witte bord, waarop in een glazen buis een rode streep een beetje op en neer ging.

„Wat is dat eigenlijk voor een rode streep?" vroeg Pinkelotje.

„Aan die streep kun je zien hoe hard we gaan," zei Pinkeltje, „als je de rode streep niet meer ziet, staat de raket stil, en als de rode streep helemaal boven in de glazen buis is, zoals nu, gaat de raket op zijn hardst."

„Ik vind het allemaal maar erg knap bedacht," zei Pinkelotje. Toen gaapte ze en zei:

„O! o! o! wat heb ik een slaap!"

„Ik ook," zei Pinkeltje, „en daarom kunnen we gerust wat gaan slapen; ik zal de wekker wel opwinden om wakker te worden als we bij de maan komen."

Terwijl Pinkeltje de wekker opwond, legde Pinkelotje twee kleine matrasjes op de grond, en daar gingen ze toen allebei op liggen slapen.

En de raket vloog maar door, regelrecht op de maan af.

52

Rrrrrrrrt! wat maakte de wekker een lawaai.

Pinkeltje schrok er van wakker.

Vlug sprong Pinkeltje overeind en keek allereerst naar het grote, witte bord met de knoppen om te zien, of alles in orde was. Gelukkig was alles goed.

De rode streep was nog helemaal boven in de glazen buis, dus vloog de raket nog aldoor op zijn hardst.

Toen keek Pinkeltje uit een van de raampjes en ...... lieve help! wat was die maan groot en dichtbij!

Pinkeltje zag heel hoge bergen, en heel grote, diepe kuilen.

Pinkeltje riep naar Pinkelotje, dat ze ook vlug op moest staan en naar de maan moest komen kijken.

Toen Pinkelotje een hele tijd door een van de raampjes had gekeken, zei ze:

,,Brrr, wat ziet die maan er dichtbij akelig uit; helemaal niet zo gezellig als wanneer je hem uit ons huisje in Zilvertorendorp ziet. En wat zijn er hoge bergen op de maan! Ik zie ook nergens water, en ook helemaal geen groene bomen of planten; misschien zijn we er nog te ver vandaan om die nu al te kunnen zien."

Pinkeltje zei niets, maar bleef maar naar die bergen en die grote, diepe kuilen kijken.

Elk ogenblik werden de bergen groter en groter.

Pinkeltje pakte nu het grote wiel weer beet en wachtte tot ze vlak boven de bergen van de maan waren.

Toen drukte Pinkeltje een blauwe knop in, en meteen ging de raket langzamer vooruit.

Hoe verder Pinkeltje de knop indrukte, hoe langzamer de raket ging.

„Pinkelotje!" riep Pinkeltje na een poosje, „nu zijn we
écht vlak boven de maan! Zullen we eens kijken, waar we
kunnen landen?"

Samen keken ze naar beneden.

Ze vlogen langzaam over heel grote, grauwe, bruine bergen en rotsen, waartussen een heleboel van die grote, diepe
kuilen waren.

Er waren héél grote gaten bij, waarin wel een half dorp
kon vallen. Nergens was water te zien en bomen of planten
waren er ook niet. Er waren alleen maar kale rotsen en grote
stukken steen, en alles had een vieze, bruine kleur.

Ja, Pinkelotje had gelijk; de maan zag er echt náár en
ongezellig uit!

Opeens zag Pinkeltje een vlakke plaats tussen al die rotsen
en bergen, en hij zei tegen Pinkelotje:

„Hier ga ik proberen te landen."

Wat er toen gebeurde, vertel ik je in het volgende hoofdstuk.

PINKELTJE EN PINKELOTJE OP DE MAAN

Pinkeltje had dus door een van de kleine, ronde raampjes van de raket een plaats gezien, waar de raket zou kunnen landen. Zo'n raket moet natuurlijk op een vlakke plaats terecht komen, want anders rolt hij ondersteboven.

Pinkeltje ging weer voor het grote, witte bord met de knoppen staan en draaide vlug een klein wieltje om.

Gru-gru-gru-gru-gru-gru-gru-gru-gru! wat een lawaai was daar opeens weer.

Pinkelotje keek wel even verschrikt naar Pinkeltje, maar die zei:

„Dat is niets bizonders, Pinkelotje! Ik zet de poten van de raket uit; kijk maar naar buiten."

Dat deed Pinkelotje, en toen zag ze, dat schuin onder uit de raket een stevige, dikke poot naar buiten kwam.

„Pas op!" riep Pinkelotje, „ik zie maar één poot naar buiten komen. Dadelijk rollen we met de raket om als we op de maan komen."

Pinkeltje liet het wieltje los en keek vlug door de andere raampjes van de raket.

Toen hij gekeken had, zei hij:

„Domme, domme Pinkelotje! door dat raampje bij jou kun je maar één poot zien, maar door de andere raampjes zie je ook de andere poten! We rollen heus niet om hoor, want de raket heeft poten genoeg!"

Nog even hoorden ze het gru-gru-gru-lawaai, en toen was het weer stil; alleen de vlam onder de raket maakte natuurlijk nog een beetje leven.

Pinkeltje trok de gele knop nu helemaal uit en toen daalde de raket langzaam naar beneden.

De vuurvlam werd kleiner en kleiner; de poten van de raket raakten de maan aan en ...... krik-krak-krak! daar zakten de poten weg in de maangrond.

Toen klonk er een harde plof in de raket, en alles werd opeens pikdonker.

„Help! help!" riep Pinkelotje, „wat gebeurt er, Pinkeltje?"

Maar Pinkeltje zei niets, en hij zocht in zijn zak naar zijn elektrische zaklantaarn.

Gelukkig had hij hem vlug.

Nu kon Pinkeltje het witte bord met de knoppen weer vinden en een van de knoppen omdraaien.

Floep! daar ging het licht in de raket weer aan.

Pinkeltje keek door een van de raampjes, maar hij kon buiten niets zien, want alles was daar pik-pikdonker.

Toch voelde Pinkeltje, dat de raket nog steeds verder wegzakte, en ook hoorde hij een zacht, vreemd geluid.

Benggg! daar kreeg de raket een harde schok.

Pinkeltje en Pinkelotje vielen helemaal ondersteboven.

Nu bewoog de raket niet meer.

Pinkeltje krabbelde gauw overeind en vroeg toen meteen aan Pinkelotje:

„Heb je je pijn gedaan?"

„Nee, gelukkig niet," zei Pinkelotje.

„We staan helemaal stil," zei Pinkeltje weer, „voel je wel?"

„Ja," zei Pinkelotje, „maar waar zouden we zijn?"

„Dat weet ik niet," zei Pinkeltje, „ik denk, dat ik maar

eens buiten ga kijken."

„Dan ga ik mee!" riep Pinkelotje, „ik laat je niet alleen gaan!"

„Goed," zei Pinkeltje, „maar dan moeten we eerst onze luchtpakken aantrekken, want je weet, dat er op de maan geen lucht is. Zonder die luchtpakken kunnen we op de maan niet ademhalen."

Vlug kleedden ze zich aan en zetten ze de ronde, doorzichtige bollen over hun hoofden.

Toen deden ze de kraantjes open van de luchtbussen, die op hun rug hingen, en toen dat gebeurd was konden ze het deurtje van de raket openmaken en naar buiten gaan.

Pinkeltje drukte op een van de knoppen van het bord, het deurtje boven in de raket ging open en het laddertje schoof naar buiten.

Met de elektrische zaklantaarns in hun hand stapten ze naar buiten, op het laddertje.

Toen zagen ze, dat er rondom hen alleen maar rotsen waren, en toen Pinkeltje omhoog keek, zag hij door een rond gat heel, héél ver boven zich de lucht.

„Pinkelotje," zei Pinkeltje, „we zijn in een heel diepe put gevallen. Gelukkig is de put zo groot, dat de raket niet kapot is gegaan. Kom maar vlug mee, dan klimmen we weer in de raket en gaan we vlug hier vandaan."

„Zouden de maanmannen deze diepe put gemaakt hebben?" vroeg Pinkelotje.

„Dat weet ik niet," riep Pinkeltje, „maar hier zie ik geen maanmannen of maanmannetjes; hier zie ik alleen maar nare, akelige rotsen."

Toen ze weer in de raket teruggeklommen waren, drukte

Pinkeltje de witte knop in; het laddertje kwam weer omhoog en naar binnen, en het deurtje ging weer dicht.

Daarna deden Pinkeltje en Pinkelotje de ronde, doorzichtige bollen van hun hoofd en toen dat gebeurd was, drukte Pinkeltje voorzichtig de rode knop in, de vuurvlam begon weer te branden en langzaam ging de raket kaarsrecht door die nare, diepe put omhoog.

Toen ze uit de put gekomen waren, drukte Pinkeltje de gele knop in en bleef de raket boven de put in de lucht hangen.

„Pinkeltje," zei Pinkelotje, „de poten van de raket staan nog uit."

„Ja, dat weet ik," zei Pinkeltje, „maar ik ga nu proberen om een eindje verder weer te landen."

Even later liet Pinkeltje heel voorzichtig de raket opnieuw op de maan neerkomen en gelukkig bleef de raket nu netjes op zijn vier poten rechtop staan.

„Hè, hè!" zuchtte Pinkeltje, „daar zijn we dan eindelijk goed op de maan aangekomen."

EEN SPANNEND AVONTUUR OP DE MAAN

Wat stond de raket netjes overeind.

Pinkeltje keek een beetje trots naar Pinkelotje en zei:

„Heb ik de raket nu eens niet héél netjes neergezet?"

„Prachtig!" zei Pinkelotje, „maar wat gaan we nu doen? Ik heb nog niet één maanmannetje gezien."

„Ik ook niet," zei Pinkelotje, „ik ben bang dat ze zich, als er tenminste maanmannetjes zijn, verstopt hebben. Misschien zijn ze wel bang voor onze raket."

„Dat denk ik niet," zei Pinkelotje, „onze raket is zo erg klein, dat ze ons misschien helemaal niet gezien hebben."

„Sapper-de-kriek-krak!" riep Pinkeltje, „daar heb ik niet aan gedacht. Die maanmannen kunnen wel zo groot zijn als mensen. Wat zullen we nu doen Pinkelotje?"

„Laten we toch maar eens voorzichtig gaan kijken," zei Pinkelotje.

„Goed," zei Pinkeltje, „maar laten we eerst de ronde, doorzichtige bollen weer goed over ons hoofd zetten."

Toen alles in orde was, drukte Pinkeltje op een witte knop. Meteen ging het deurtje open en het laddertje kwam naar buiten. Pinkeltje klom eerst naar beneden, en vlak daarna kwam Pinkelotje.

Toen ze op de maan stonden, zagen ze niets dan grauwe, bruine stenen, die veel en veel groter waren dan de raket.

Achter die stenen zagen ze hoge bergen.

Pinkeltje liep om een paar stenen heen en riep:

„Oehoei! oehoei! maanmannetjes, waar zitten jullie?"

Maar er kwam geen antwoord.

Pinkelotje kwam vlak achter Pinkeltje aan en ook zij riep:

„Oehoei! oehoei! waar zijn jullie? Komen jullie eens te voorschijn!"

Maar geen geluidje hoorde je, en ook zag je niets bewegen.

Alles wàs en blééf stil!

Pinkeltje zag een diep gat voor zich in de rots.

Daar bleef hij bij staan en riep weer:

„Oehoei! oehoei! waar zitten jullie? Geef eens antwoord!"

Maar opnieuw bleef het stil.

„Pinkeltje," zei Pinkelotje, „zie je, dat hier overal raar, grijs stof op de grond ligt. Het lijkt net heel fijn zand; je zakt er tot je enkels in weg."

Net had Pinkelotje dat gezegd, toen Pinkeltje een stap vooruit deed, en ...... daar zakte Pinkeltje tot aan zijn middel in het stof.

Pinkelotje schrok verschrikkelijk, maar Pinkeltje riep meteen:

„Blijf staan, Pinkelotje! Blijf staan, Pinkelotje! anders glijd je ook mee naar beneden en misschien komen we dan wel helemaal onder het stof terecht."

Toen gebeurde er iets wonderlijks.

Het stof om Pinkeltje begon weg te zakken, en Pinkeltje zélf bleef zitten op een stuk rots.

Het stof zakte lager en lager, tot het opeens niet verder zakte en stil bleef liggen.

Pinkeltje zat daar dus op een klein stuk rots, dat een eindje boven het stof uitkwam.

Toen hij omhoog keek, zag hij een eind boven zich Pinkelotje dicht bij de raket staan.

„Wat zou er gebeurd zijn?" dacht Pinkeltje.

Hij nam een zware steen en gooide die naar beneden, op het stof. Pluf! deed de steen op het stof en verdween er toen in.

„Sapper-de-kriek-krak!" zei Pinkeltje weer, „dat stof is net als zachte sneeuw, want daarin kun je ook zo wegzakken."

Pinkelotje was zó geschrokken, dat ze niets kon zeggen, maar gelukkig bleef ze heel stil staan.

Als ze dat niet gedaan zou hebben, zou ze vast en zeker helemaal in het stof weggezakt zijn.

Pinkeltje riep:

„Pinkelotje, haal vlug dat stevige touw uit de raket en bind dan één eind van het touw aan een poot van de raket. Het andere eind gooi je naar mij toe, dan klim ik langs het touw naar boven."

Dat deed Pinkelotje en ze gooide het touw gelukkig precies bij Pinkeltje, zodat die het touw gemakkelijk kon grijpen.

Pinkeltje bond het touw eerst stevig om zijn middel vast en klom toen vlug langs het touw omhoog.

Toen hij boven kwam, pakte Pinkelotje hem stevig in zijn jasje en trok hem omhoog, naast zich, op de rots.

„Hè, hè!" zuchtte Pinkeltje, terwijl hij naast Pinkelotje ging zitten, „is me dat even schrikken!"

Toen riep hij alweer:

„Oehoei! Oehoei! wonen hier maanmannetjes?"

Maar ook deze keer kwam er geen antwoord.

„Zal ik je eens wat zeggen, Pinkelotje," zei Pinkeltje, „er zijn hier geen maanmannetjes of maanmannen! Er is hier niets! Geen boom, geen plant, geen bloem, geen grassprietje en dus ook geen mannetjes. Op de maan kan niets groeien of leven."

Pinkelotje zei niets, maar opeens wees ze achter zich en riep:

„Kijk daar eens, daar zie ik een andere, grotere maan! Die andere maan is véél groter dan de maan, waarop we nu zijn!"

„Dat is geen maan," zei Pinkeltje, „die bol daar is de aarde! Daar zijn we vandaan gekomen; daar wonen wij."

Pinkelotje zei niets, maar toen Pinkeltje goed naar haar keek, zag hij, dat er tranen uit haar oogjes kwamen.

„Wat is er, Pinkelotje?" vroeg Pinkeltje verschrikt.

Toen snikte Pinkelotje:

„Ik .. ik .. ik vind het hier zo naar en akelig! Er zijn toch geen maanmannetjes. Toe, lieve Pinkeltje, laten we gauw teruggaan naar onze aarde."

„Dat doen we," zei Pinkeltje, „kom maar vlug mee naar onze raket, dan gaan we weer terug. De maan is maar een naar, kaal, akelig ding."

Vlug klommen ze nu weer in de raket.

Pinkeltje drukte op de witte knop; het laddertje schoof naar binnen, het deurtje klapte dicht en met een diepe zucht trokken Pinkeltje en Pinkelotje hun luchtpakken weer uit.

PINKELTJE EN PINKELOTJE
GAAN TERUG NAAR DE AARDE

Toen Pinkeltje en Pinkelotje weer in de raket waren, deden ze eerst de grote, doorzichtige bol van hun hoofd.

„Hè, hè!" zuchtte Pinkelotje, „ik ben blij, dat ik dat ding kan afzetten, want ik vind het maar vervelend om aldoor met zo'n ronde, doorzichtige bol over je hoofd te moeten lopen."

„Ik vind het ook niet prettig," zei Pinkeltje.

Toen hij voor een van de raampjes van de raket ging staan en naar buiten keek, zei hij:

„Wat vind ik het toch jammer, dat we op de maan niets hebben gevonden om aan onze koningin te geven. Weet je, wat we moesten doen? We moesten met de raket om de maan vliegen. Misschien zien we dan onderweg toch nog iets bizonders om mee te nemen."

„Natuurlijk vind ik dat goed," zei Pinkelotje, „maar ík ga liever meteen terug naar Pinkeltjesland!"

„Als we niets zien, doen we dat dan ook," zei Pinkeltje, terwijl hij naar het witte bord met de knoppen liep.

Hij draaide een paar wieltjes om en drukte toen de rode knop een klein eindje in.

Meteen hoorden ze het lawaai van de vuurvlam onder de raket. Het duurde dan ook niet lang, of langzaam ging de raket de hoogte in.

Nu drukte Pinkeltje de blauwe knop in en gru-gru-gru, schoven de vier poten van de raket naar binnen.

Daarna drukte Pinkeltje de rode knop helemaal in; de vuurvlam werd groter en groter en hieeeee! daar schoot de raket de lucht in.

Pinkelotje, die nu voor een van de raampjes was gaan staan, zag opeens een heleboel grote wolken grijs stof opvliegen.

„Pinkeltje, kom eens vlug kijken wat een reuze grote wolken stof er rondvliegen," riep ze.

Toen Pinkeltje ook door het raampje keek, zei hij:

„Dat doet de vuurvlam onder de raket, die maakt zóveel wind, dat al dat stof wordt weggeblazen."

Al gauw kwamen ze zo hoog, dat ze onder zich de bergen en de andere delen van de maan zagen.

Pinkeltje draaide aan het grote wiel, drukte een groene knop in, waardoor de raket naar links ging om de reis om de maan te kunnen gaan maken.

„Kijk, Pinkelotje," zei Pinkeltje, „nu kun je goed zien, dat de maan een héél grote bol is, met hoge, puntige bergen en met diepe gaten en platte stukken er tussen."

„Hoe groot zou de maan wel zijn?" vroeg Pinkelotje.

„Dat weet ik niet," zei Pinkeltje, „maar als iemand rond de maan zou willen lopen, zou hij daarvoor wel heel wat jaren nodig hebben, denk ik. Maar nu moet je goed uitkijken, Pinkelotje, of je misschien ook iets bizonders ziet, dat we kunnen meenemen."

Pinkeltje liet de raket wat minder hard gaan, maar hoe ze ook keken, ze zagen alleen maar grauwe, kale, bruine rotsen, bergen en stenen.

Nadat ze een hele tijd om de maan hadden gevlogen, riep Pinkelotje opeens:

„Kijk, Pinkeltje, daar zie ik de plek weer, waar we op de maan zijn geland. We zijn dus nu helemaal rond geweest."

„Je hebt gelijk," zei Pinkeltje.

Toen liep hij naar een ander raampje en zei:

„Kom eens hier kijken, Pinkelotje. Weet je, wat je daar nu ziet?"

Pinkelotje keek door het raampje en riep:

„Ik zie de aarde! Ik zie de aarde, waar we wonen. Wat is de aarde toch een grote, ronde bol."

Pinkeltje begon te lachen en zei:

„Ja, Pinkelotje, de aarde is een grote, ronde bol en daarom spreken de mensen dikwijls over de *aardbol*. In een boekwinkel kun je zo'n aardbol wel eens in het klein zien staan. Die aardbollen zijn bijna altijd zo groot als een voetbal en alle landen van de aarde zijn er dan op getekend en alle zeeën zijn er dan blauw op gemaakt."

„Waarom zijn de zeeën blauw gekleurd?" vroeg Pinkelotje.

„Omdat de mensen vinden, dat water een blauwe kleur heeft," antwoordde Pinkeltje, „en als we thuis zijn, zal ik wel eens zo'n aardbol laten zien, want meneer Pinkelprof heeft er een in zijn huis."

Toen keek Pinkelotje Pinkeltje even aan en zei:

„Pinkeltje, ik vind je heel erg knap, maar laten we nu maar zo gauw mogelijk teruggaan naar Pinkeltjesland, want ik vind het hier bij de maan helemaal niet prettig."

Toen moest Pinkeltje weer even lachen.

Vlug gaf hij Pinkelotje een paar dikke zoenen, en toen liep hij naar het witte bord met de knoppen.

Pinkeltje draaide weer aan het grote wiel, trok de groene

knop helemaal uit en keek naar de rode streep in de glazen buis.

Pinkelotje zag, dat de raket recht naar de aarde terug ging.

De rode streep in de glazen buis kwam hoger en hoger en de raket vloog zo hard hij maar kon.

,,Mooi zo,'' dacht Pinkeltje, ,,nu gaan we zo hard we kunnen naar de aarde terug.''

WEER TERUG OP DE WOLKENWEIDE

Hieeeeeeeeeeeeeeeeeeeeee!!! met een reusachtige snelheid vloog de raket naar de aarde terug.

Pinkeltje keek goed naar alle knoppen, wielen en wieltjes op het witte bord om te zien, of alles in orde was en zei toen tegen Pinkelotje:

„Weet je, wat je moest doen? Je moest eens in de mand kijken, of er nog wat te eten en te drinken is. Als we wat gegeten en gedronken hebben, moeten we maar rustig gaan slapen, want het duurt nog wel een hele nacht en een halve dag, voordat we weer terug op de aarde en in Pinkeltjesland zijn."

Gelukkig was er nog genoeg te eten en te drinken, en toen ze gegeten en gedronken hadden, legde Pinkelotje de twee matrassen en de dekens op de grond.

Voor ze onder de dekens kropen, keek Pinkeltje nog even door een van de raampjes en zei:

„Pinkelotje, kom eens even kijken, hoe ver we al van de maan vandaan zijn!"

Pinkelotje keek ook even door het raampje en zei:

„Ik ben maar blij, dat we weer naar de aarde zijn teruggegaan. Wat vind ik die meneer Pinkelprof toch heel erg knap om zo'n raket te kunnen maken. Als ik in Pinkeltjesland terug ben, zal ik hem eens vertellen, hoe knap ik hem wel vind."

Maar die arme Pinkelotje wist niet, dat het nog een hele tijd zou duren, voordat ze weer in Pinkeltjesland zou komen, en Pinkeltje wist het natuurlijk ook niet.

Nadat ze onder de dekens waren gekropen, sliepen ze bijna meteen in, en Pinkeltje snurkte zelfs een beetje.

De volgende morgen werd Pinkeltje wakker, doordat de zon precies door een van de raampjes van de raket naar binnen scheen.

Pinkeltje stond meteen op en ging vlug op het witte bord met de knoppen kijken, of alles in orde was.

Nadat hij Pinkelotje wakker had gemaakt, gingen ze elk voor een raampje staan, om te zien, of ze al land of bos of huizen konden ontdekken.

Maar ze zagen alleen maar grote, grijswitte bobbels.

,,Wat zouden dat toch voor bobbels daar onder ons zijn?'' vroeg Pinkelotje.

Pinkeltje wist het ook niet.

Toen Pinkeltje door het raampje naar boven keek, zag hij, héél in de verte, de maan.

,,Kijk, Pinkelotje,'' zei Pinkeltje, ,,zie je daar de maan? Die is al een heel eind bij ons vandaan; we moeten dus toch wel dicht bij de aarde zijn.''

Wéér keken ze naar beneden, toen Pinkeltje opeens begon te lachen en uitriep:

,,Wat zijn we dom! Daar onder ons is natuurlijk de Wolkenweide! Nu moeten we goed oppassen, dat de wolkemannen ons niet meer te pakken krijgen.''

Vlug liep hij daarom naar het witte bord en drukte de blauwe knop in. Meteen ging de raket veel langzamer naar beneden.

De grijswitte bobbels werden groter en groter, en al gauw zag je duidelijk, dat de bobbels grote, mooie wolken waren.

,,Kijk daar eens, Pinkeltje,'' riep Pinkelotje opeens, ,,wat een grote berg van wolken zie ik daar. Het lijkt wel een kasteel met torens."

Pinkeltje liep naar het witte bord en door aan het grote wiel te draaien, stuurde hij de raket de kant van het kasteel op.

Hoe dichter ze bij kwamen, hoe mooier het werd.

Spoedig zagen ze duidelijk, dat het een kasteel met torens, deuren en ramen was.

„Ik denk, dat koning Kumulus in dat kasteel woont," zei Pinkeltje, „ik zal de raket eens vlak voor het kasteel laten stilhouden."

Dat vond Pinkelotje ook een prachtig plan.

Langzaam zakte de raket tot vlak voor het kasteel; Pinkeltje drukte nu de gele knop in en de raket bleef vlak voor de deur van het kasteel stil in de lucht hangen.

Natuurlijk waren van alle kanten wolkemannen komen aanlopen, maar de raket hing zo hoog, dat ze er niet bij konden.

Maar de wolkemannen leken helemaal niet boos, want ze lachten en wuifden naar Pinkeltje en Pinkelotje.

„Kan ik een raampje open maken?" vroeg Pinkelotje, „of moet ik dan eerst weer mijn luchtpak aantrekken en die rare bol over mijn hoofd doen?"

„Neen, dat hoeft nu niet meer; we zijn nu weer in de lucht vlak bij de aarde," zei Pinkeltje.

Pinkelotje deed een van de raampjes open en keek, of ze Wolkewietje ook zag.

Er kwamen hoe langer hoe meer wolkemannen aanlopen.

Opeens zag Pinkelotje een van de wolkemannen met zijn armen zwaaien. Toen ze heel goed keek, zag ze, dat het

Wolkewietje was.

„Dag Wolkewietje! dag! dag!" riep Pinkelotje, „kun je even bij ons komen?"

Wolkewietje riep iets terug, maar Pinkelotje kon het niet verstaan. Toen zag ze, dat Wolkewietje iets tegen een paar andere wolkemannen zei, en daarna gebeurde er iets leuks.

De wolkemannen begonnen kleine wolken op elkaar te stapelen en maakten zo een soort ladder, waarop Wolkewietje naar boven kon klimmen.

Pinkeltje was nu ook bij Pinkelotje voor het raampje komen staan en al gauw konden ze Wolkewietje een hand geven.

Pinkeltje wilde juist over de maanreis gaan vertellen, toen de deur van het kasteel openging en ......

„De koning! de koning!" riepen alle wolkemannen, en vlug gingen ze naast de kasteeldeur staan.

Daar kwam de koning naar buiten.

Wat was die koning Kumulus een deftige koning!

Hij was net als alle wolkemannen gekleed in een licht, maanblauw pak, maar hij had een grote, witte wolkebaard en op zijn witte wolkeharen stond een hagelwitte kroon, die prachtig in de zon schitterde.

„Wat een prachtige koning hebben jullie!" zei Pinkelotje, „en wat een mooie kroon heeft hij op!"

„Dat is de hagelkroon," zei Wolkewietje, „die kroon is helemaal van echte grote en kleine hagelstenen gemaakt. Je weet toch wel, Pinkelotje, dat wij, wolkemannen, in de winter soms hagelstenen op de aarde laten vallen?"

Maar nu keek de koning naar boven en zei iets tegen een van de wolkemannen.

Deze klom meteen langs de wolkentrap naar boven.

„O lieve help!" riep Pinkelotje, „nu zul je zien, dat we teruggestuurd worden."

Maar de wolkeman keek gelukkig niet boos en toen hij boven was, zei hij:

„Meneer Pinkeltje, de koning vraagt, of u zó laag kunt komen, dat de koning met u kan praten."

„Zeg maar aan de koning, dat ik direct met de raket een stukje naar beneden kom," antwoordde Pinkeltje blij.

De wolkeman en Wolkewietje klommen vlug langs de wolkentrap omlaag en Pinkeltje liet de raket tot vlak bij de koning zakken.

Toen sprak de koning:

„Van Wolkewietje weet ik, dat u meneer Pinkeltje en u mevrouw Pinkelotje bent, en dat u beneden op de aarde woont. Ook weet ik, dat mijn wolkemannen een paar dagen geleden boos op u waren, omdat u de Wolkenweide kapot had gemaakt. Maar ik weet ook, dat u dat niet met opzet deed."

„Dat is zo, koning Kumulus," zei Pinkeltje, „maar we wisten niet, dat onze raket de Wolkenweide kapot maakte."

Toen zei de koning:

„Ik kan u niet vragen om bij mij in mijn kasteel te komen, want als u uit de raket zou stappen, zou u door de wolken naar beneden vallen, want alleen wij, wolkemannen, kunnen hier op de wolken lopen."

Toen vroeg Pinkeltje erg beleefd:

„Koning Kumulus, hoe kunnen we door de Wolkenweide naar beneden komen, zonder de Wolkenweide stuk te maken?"

Toen zei de koning:

„Ik zal een groot gat laten maken, waardoor u met de raket naar omlaag kunt gaan. Zolang de wolkemannen aan dat gat werken, wilt u me zeker wel iets van uw reis vertellen."

Dat deed Pinkeltje en intussen gingen een heleboel wolkemannen een groot gat in de Wolkenweide maken.

PINKELTJE SCHRIKT
EN GAAT VAN DE WOLKENWEIDE WEG

Pinkeltje vertelde aan de koning hoe de reis naar de maan was geweest, en de koning keek door de raampjes van de raket naar binnen, waar Pinkeltje alles vertelde over de knoppen en wieltjes en wielen op het witte bord.

Daar kwam Wolkewietje naar de koning toe en zei:

„Koning Kumulus, het gat in de Wolkenweide is klaar."

„Dat is prachtig, Wolkewietje," zei de koning, „dan kunnen je vrienden nu verder reizen."

„Pinkeltje," zei Wolkewietje, „als je uit het andere raampje kijkt, kun je het gat in de Wolkenweide zien."

Maar toen Pinkeltje door het andere raampje naar beneden keek, schrok hij geweldig en riep:

„Ik zie helemaal geen land of bergen; ik zie alleen maar water!"

Gauw liep hij terug naar het andere raampje en zei:

„Koning Kumulus, ik dacht, dat de Wolkenweide altijd boven het land was, en niet boven de zee."

„Maar mijn beste Pinkeltje, we komen heel dikwijls boven de zee," zei de koning, „want daar halen we dan water vandaan."

Daar begreep Pinkeltje niets van; wat moesten ze op de Wolkenweide nu met water doen?

Even moest koning Kumulus lachen en toen zei hij:

„Wat we op de Wolkenweide met water doen, zal ik je eens precies vertellen. Je weet natuurlijk wel, dat iedereen en alles water nodig heeft om te leven. Jullie in Pinkeltjesland kunnen toch ook niet zonder water leven."

„Nee, dat gaat niet," zei Pinkeltje, „ook in Pinkeltjesland kunnen we zonder water niet leven."

„Juist," zei koning Kumulus, „en niet alleen de Pinkeltjes en de mensen en de dieren moeten drinken, maar ook de bomen en de bloemen en de andere planten."

„De bomen en de bloemen en de andere planten heb ik nog nooit zien drinken," zei Pinkeltje.

„Dat kun je ook niet zien," zei de koning weer, „maar tóch drinken ze. De bomen en de bloemen en de andere planten zuigen het water uit de grond, precies zoals jullie door een rietje uit een glas zuigen."

„Maar," vroeg Pinkelotje, die ook meeluisterde, „wat hebben de Wolkenweide en de wolkemannen daar dan mee te maken?"

„Dat wil ik je nu net vertellen," zei de koning, „wij, wolkemannen, zorgen, dat er water over het land wordt uitgegoten. Ik zal je vertellen, hoe we dat doen. Eerst drijven we door de lucht naar de zee. De lucht boven de zee is altijd nat en vochtig; soms kun je ook boven het land zien, dat de lucht vochtig is. De mensen zeggen dan, dat er damp is en als er heel veel damp is, noemen de mensen het *mist*."

„O ja!" riep Pinkeltje, „als het buiten mistig is, kun je maar een klein eindje voor je uit zien. Het is dan net, of je in een wolk loopt."

„Dat is het!" zei de koning, „DAN IS HET NET, OF JE IN EEN WOLK LOOPT, en ......"

„Ik weet het! ik weet het!" riep nu Pinkelotje, „een wolk is eigenlijk gemaakt van water!"

„Goed zo, dat heb je goed begrepen, Pinkelotje!" zei de koning. „Als we dus genoeg vocht boven de zee hebben verzameld, drijven we naar een land, waar het erg droog is, en dan maken de wolkemannen boven dat land van die wolken weer water. Dat water gieten we dan netjes in grote druppels over alles uit."

„Dan regent het!" lachte Pinkelotje, „en dan kunnen ook de planten en de dieren weer drinken, en kan alles blijven leven."

„Precies," zei de koning, „maar weet je, wat wij náár vinden, Pinkelotje? Als het in de winter erg koud is, gaan onze mooie regendruppels bevriezen en dan worden ze hagelstenen. Die hagelstenen doen dikwijls de mensen en de dieren veel pijn, en ook gaan er soms planten van kapot. Als we dàt zien gebeuren, maken we de waterdruppels gauw zó klein, dat ze heel, heel, héél kleine hagelsteentjes worden. We maken ze dan zo klein, dat je ze niet eens kunt zien! Een heleboel van die hagelsteentjes kleven dan aan elkaar vast, en dat worden dan sneeuwvlokken. En je weet, dat sneeuw geen pijn doet en erg zacht is. Zeg, Pinkelotje, wat gebeurt er nu, als je sneeuw in je warme hand houdt?"

„Dan wordt die sneeuw weer water," zei Pinkelotje, „nu begrijp ik het allemaal. Het is maar wàt goed, dat u en de wolkemannen er zijn, want anders zou alles op de aarde verdrogen en zou alles doodgaan."

Pinkeltje had al die tijd niets gezegd, en wreef alleen maar een beetje langs zijn neus.

„Waaraan denk je, Pinkeltje?" vroeg koning Kumulus.

„Ik denk aan de maan, en omdat daar helemaal geen lucht is en ook geen wolken zijn, is er natuurlijk ook geen water! Daarom kunnen er op de maan ook geen mensen en dieren leven en daarom kan er ook niets groeien," zei Pinkeltje.

„Ik denk wel, dat het zo zal zijn," zei de koning, „maar als je nu verder wilt reizen, kun je de raket gerust door het gat omlaag laten zakken. Ga dan meteen rechtsaf, dan kom je vanzelf boven land."

„Dat zal ik doen," zei Pinkeltje, en toen namen hij en Pinkelotje afscheid van koning Kumulus.

Door het raampje gaven Pinkeltje en Pinkelotje de koning elk een hand en natuurlijk kreeg ook Wolkewietje een hand.

Pinkelotje deed de raampjes goed dicht, terwijl Pinkeltje de rode knop weer indrukte.

De vuurvlam begon weer harder te branden en te blazen, en langzaam ging de raket weer een eindje omhoog.

Pinkeltje stuurde de raket tot vlak boven het gat in de Wolkenweide. Toen ze daar gekomen waren, trok Pinkeltje de blauwe knop een eindje uit, waardoor de vuurvlam minder en minder werd en de raket netjes door het gat naar beneden zakte.

Alle wolkemannen, die rond het gat stonden, zwaaiden met hun armen en riepen:

„Goeie reis! Goeie reis! tot ziens!"

Pinkeltje en Pinkelotje wuifden voor de raampjes terug, tot ze onder de Wolkenweide waren.

Toen drukte Pinkeltje de blauwe knop weer in, waardoor de vuurvlam meteen weer groter en groter werd.

Pinkeltje drukte ook op de groene knop en draaide aan het grote wiel op het witte bord.

De raket draaide naar rechts en vloog hoe langer hoe sneller boven het water van de zee.

„Ziezo, Pinkelotje," zei Pinkeltje, „nu gaan we weer terug naar Pinkeltjesland."

ER GEBEURT IETS MET DE RAKET

Je begrijpt, dat Pinkeltje en Pinkelotje elk ogenblik voor een van de raampjes gingen staan om te kijken, of ze al land zagen.

De raket vloog heel hoog boven de zee, en zo nu en dan zagen ze, diep onder zich, een stoomboot varen.

„Het gaat toch maar prachtig met onze raket," zei Pinkelotje, „zeg Pinkeltje, weet je nu ook ongeveer, wanneer we boven Pinkeltjesland zijn?"

Dàt wist Pinkeltje niet, en óók wist hij niet precies, waar hij heen moest en waar Pinkeltjesland lag, maar dat vertelde hij niet aan Pinkelotje.

De zon ging al bijna onder en nóg hadden ze geen van beiden iets gezien, dat op land leek.

„Pinkeltje," vroeg Pinkelotje, „we gaan toch wel goed? Het duurt zo lang voor we boven land komen."

Pinkeltje durfde niet te vertellen, dat hij ook wel een beetje bang werd, en daarom zei hij maar:

„Ik denk, dat we over een uurtje wel land zullen zien."

De zon ging nu helemaal onder en overal kwamen er sterren aan de hemel.

Pinkelotje wees naar boven en zei:

„Kijk, de maan is er ook al; kun jij je voorstellen, dat we daar zijn geweest?"

„Ja, daar zijn we écht geweest," zuchtte Pinkeltje, „maar we hebben er niets bizonders voor onze koningin Pinkelschoon gevonden."

„Och lieve help! dat is waar ook!" riep Pinkelotje verschrikt, „wat erg, hè!"

Pinkeltje zei niets, maar opeens bleef hij stokstijf staan luisteren.

Wat was dat?

Wat hoorde hij daar?

Het was net, of de vuurvlam een vreemd geluid maakte.

„Stel je voor, dat de vuurvlam uit zou gaan," dacht Pinkeltje, „dan zouden we in de zee vallen en dan ...... Brrrr! ik wil er niet aan denken, wat er dàn zou gebeuren."

Prut-prut-prut deed de vuurvlam.

Pinkeltje sprong vlug naar het witte bord met de knoppen.

Hieeeeeeee! gelukkig, daar was het geluid weer goed.

Pinkeltje zuchtte even en keek toen naar de wijzer van een ronde plaat, waarop hij kon zien, hoeveel vuurbollen er nog in de raket waren.

Maar wat was dat!

Pinkeltje kon zijn ogen haast niet geloven!

Van schrik deed hij allebei zijn handen voor zijn mond, want de wijzer stond bijna op nul.

„O! o! o! wat moet dat nu?" dacht Pinkeltje, „als de vuurbollen op zijn, gaat de vuurvlam uit en valt de raket naar beneden."

„Pinkeltje!" riep Pinkelotje opeens, „kom eens gauw kijken! Ik zie lichtjes; ik zie een heleboel lichtjes."

Met één sprong was Pinkeltje naast Pinkelotje, en toen hij ook door het raampje keek, zag hij diep onder zich wel honderd en honderd en nog eens honderd lichtjes branden.

„Dat is vast en zeker een grote stad," zei Pinkelotje, „welke stad zou het zijn?"

Dat wist Pinkeltje ook niet.

Gggggggrrrrrt! prut-prut-prut-prut!

Daar was dat vreemde geluid weer.

Prut-prut-prut-prut-prut!

Pinkeltje stuurde de raket vlug naar de stad.

Daar was gelukkig geen zee, en als de raket naar beneden viel, zou hij tenminste niet in het water vallen.

Prut-prut-prut! Hieeeeee!

Gelukkig ging het nu weer goed.

Spoedig waren ze nu boven de stad en de lichtjes van de lantaarns en de huizen konden ze nu duidelijk zien.

Hieeeeeeeee! de raket vloog over de stad heen.

Prut-prut-prut-prut! hieeeee! prut-prut-prut! hieee! prut-prut-prut-prut-prut-prut-prut! hiee! prut-prut-prut!

De vuurvlam onder de raket werd langzaam kleiner.

Pinkeltje draaide aan het grote wiel en drukte de groene knop in.

„Wat is er, Pinkeltje?" vroeg Pinkelotje.

„De vuurbollen zijn bijna op!" riep Pinkeltje, „nu gaat de raket naar beneden!"

„Wat ga je nu doen?" riep Pinkelotje verschrikt uit.

„Ik ga proberen om de raket recht op de grond te zetten," antwoordde Pinkeltje.

Prut-prut-prut-prut-put-put-put-pffffff!!!

De vuurvlam was nu bijna helemaal uit en de raket viel al sneller en sneller naar beneden.

„Pinkelotje!!!" gilde Pinkeltje, „ga vlug op de matrassen liggen, dan krijg je niet zo'n schok, als we op de grond terecht komen!"

Prut ——— prut ——— prut ——— pffffff!

Rommel-de-bom-bom! daar kwam de raket ergens tegen aan.

Gggggggggggggggg! er schuurde iets langs de buitenkant van de raket.

Bonk-bonk-bonk! Pinkeltje rolde helemaal ondersteboven.

Toen ging het licht uit.

Bonk-bonk! de raket stootte weer ergens tegen aan en toen...... Bom!!! dat was een harde schok.

„Au," riep Pinkeltje, „mijn hoofd!"

Toen gebeurde er niets meer; de raket stond eindelijk stil.

Het was pikdonker in de raket.

„Pinkelotje, leef je nog?" riep Pinkeltje.

„Ja, Pinkeltje," riep Pinkelotje terug.

„Heb je je pijn gedaan, Pinkelotje?" vroeg Pinkeltje.

„Neen, Pinkeltje," antwoordde Pinkelotje, „ik lag gelukkig net op de matrassen, maar vertel me eens vlug hoe
het met jou is."

„Ik heb alleen maar een bult op mijn hoofd," zei Pinkeltje, „en ik kan me niet bewegen, want ik zit klem tussen de
tafel en een paar stoelen en het witte bord met de knoppen.
Heb jij een zaklantaarn, Pinkelotje?"

„Ik zal eens even zoeken," zei Pinkelotje.

Pinkelotje zocht vlug de zaklantaarn en even later floep!
ging opeens het lichtje van de zaklantaarn aan.

„Gelukkig, nu kunnen we wat zien," zei Pinkeltje, „probeer eens, Pinkelotje, of je die zwarte knop op het witte
bord kunt uittrekken."

Pinkelotje trok aan de zwarte knop en gelukkig! daar floepte een klein lampje aan.

Och, och, wat een rommel was het in de raket.

Alles lag op en door elkaar.

Pinkelotje zag, dat Pinkeltje zijn hoofd vast zat tussen de poten van een stoel en de tafel.

Voorzichtig trok ze de stoel weg, en toen kon Pinkeltje gelukkig weer opstaan.

Pinkeltje voelde even aan zijn hoofd en zei:

„Ik heb hier een flinke bobbel zitten, maar dat is dan ook alles. Wat heerlijk, dat we verder niets mankeren. Als we boven de zee naar beneden waren gevallen, zouden we nu misschien al verdronken zijn geweest."

Pinkelotje zei niets, maar ze sloeg haar armen om Pinkeltje zijn hals en zoende hem op allebei zijn wangen. Zó blij was ze, dat alles nog zo goed was afgelopen.

PINKELTJE WEET,
WAAR HIJ MET DE RAKET IS TERECHTGEKOMEN

Toen Pinkeltje en Pinkelotje in de raket wat bekomen waren van de schrik, keek Pinkeltje eens door een van de raampjes naar buiten. Maar buiten was het zó donker, dat Pinkeltje niets kon zien.

„Pinkelotje," zei Pinkeltje, „doe het licht in de raket eens uit; misschien kan ik dan wat beter zien, waar we nu zijn."

Pinkelotje draaide het lampje uit, en Pinkeltje tuurde weer door het raampje naar buiten.

Maar het was en het bleef zó donker, dat je buiten helemaal niets kon zien.

„Waar zouden we toch terecht gekomen zijn," zuchtte Pinkelotje, terwijl ze het licht weer aandraaide.

„Ik weet het werkelijk niet," zei Pinkeltje, terwijl hij voorzichtig aan de bult op zijn hoofd voelde.

Toen zei Pinkeltje:

„Het beste is, dat we de deur naar buiten open doen en dat we dan eens voorzichtig uit de raket klimmen."

„Misschien is de motor, die het deurtje moet openmaken, wel kapot gegaan," zei Pinkelotje, „we zijn zo hard op de grond neergekomen."

„Dat weet ik niet, maar we zullen het meteen gaan proberen," zei Pinkeltje, terwijl hij naar het witte bord met de knoppen toestapte.

Voorzichtig drukte hij de witte knop een klein eindje in.

Gelukkig, daar hoorde hij de motor zoemen!

Zoem-zoem-zoem!

Vol spanning keken Pinkeltje en Pinkelotje naar het deurtje.

Zoem-zoem-zoem-zoem! het deurtje ging langzaam open.

Nu drukte Pinkeltje de knop verder in; het zoemen werd sterker en het deurtje ging nog iets verder open.

Opeens bleef de motor stilstaan, en ging het deurtje niet verder open.

Gauw trok Pinkeltje de witte knop weer terug, en zei tegen Pinkelotje:

„Ik zal nu zelf de deur wel verder open duwen."

Maar hoe Pinkeltje ook duwde en duwde, het deurtje ging geen stukje verder open.

„De deur zit muurvast," zei Pinkeltje, „ik kan hem niet verder open krijgen."

„Maar dat is verschrikkelijk!" riep Pinkelotje angstig, „dan zijn we opgesloten en moeten we hier altijd maar blijven zitten."

„Laten we eerst maar eens wachten tot het dag wordt," zei Pinkeltje, „en dan kunnen we verder zien, wat we zullen doen. Weet je, wat ik heb, Pinkelotje?"

„Neen, dat weet ik niet," zei Pinkelotje een beetje boos, „en het kan me niet schelen ook; ik wil alleen maar uit de raket."

Toen werd Pinkeltje óók boos en hij riep:

„Ga er dan uit!"

„Doe de deur dan open!" riep Pinkelotje weer, terwijl ze begon te huilen.

„Je weet, dat ik dat niet kan," zei Pinkeltje, die al zijn boosheid al weer was vergeten, toen hij Pinkelotje zag huilen, „maar als het licht wordt, zal ik heus weer proberen om uit de raket te komen. Laten we nu maar wat eten."

Zonder iets tegen elkaar te zeggen, aten ze een boterham-metje, en van alle avonturen waren ze zó moe geworden, dat ze echt even in slaap vielen.

Toen het buiten een klein beetje licht begon te worden, werd Pinkelotje het eerst wakker.

Ze keek dadelijk naar Pinkeltje en naar de dikke bobbel op zijn hoofd.

„Arme Pinkeltje," dacht Pinkelotje, „wat zul je je pijn gedaan hebben, en ik ben nog wel zo boos op je geweest."

Toen boog Pinkelotje zich over Pinkeltje heen en zoende hem heel even op zijn neus.

Daarna keek ze naar het deurtje, dat nog op een kier stond en waardoor al wat daglicht te zien was.

Pinkelotje keek ook door een van de ronde raampjes.

Maar wat was dat?

Van schrik werd Pinkelotje opeens helemaal wakker en ze riep:

„Pinkeltje! Pinkeltje!! Kijk eens door het raampje!!!"

Pinkeltje schrok wakker, en toen hij door het raampje keek, schrok hij óók, want wat zag hij???

Vlak voor het raampje keek een reuze groot oog naar binnen; dat oog was wel zo groot als Pinkeltje zijn hoofd.

„Wat is dat, Pinkeltje?" fluisterde Pinkelotje.

Toen Pinkeltje en Pinkelotje door de andere raampjes keken, zagen ze ook dààr grote ogen, die naar binnen keken.

Pinkeltje sprong op, liep naar een van de raampjes toe, en wég waren de ogen!

Vlug keek Pinkeltje nu naar buiten, en toen begon hij hardop te lachen en zei:

„Kom maar gerust kijken, Pinkelotje, want het is helemaal niets om van te schrikken."

Nog wel een beetje bang kwam Pinkelotje naar het raampje toe en toen ze er door naar buiten keek, zag ze vijf leuke, kleine eekhoorntjes op een rijtje zitten!

Dadelijk opende Pinkeltje een van de ronde raampjes en riep:

„Hé daar! jullie eekhoorntjes! hebben jullie door onze raampjes gekeken?"

„Ja, meneer," zei een van de eekhoorns, „vannacht bent u vlak langs ons huis gekomen met dat ding en toen hebt u onze mooie schommeltak helemaal kapot gemaakt."

„Dat is jammer," zei Pinkeltje, „maar ik heb het echt niet met opzet gedaan, hoor."

„Meneer!" riep nu een andere eekhoorn, „weet u, dat er een grote tak op uw huisje ligt?"

„Nu weet ik, hoe het komt, dat het deurtje niet open kan!" juichte Pinkeltje, „willen jullie, eekhoorntjes, me een plezier doen en de tak wegtrekken?"

„Dat zullen we wel even doen," riepen de eekhoorns, en met hun vijven trokken ze de tak van de raket af.

Vlug drukte Pinkeltje de witte knop in; de motor ging weer draaien en het deurtje ging open, terwijl ook de ladder vanzelf weer naar buiten kwam.

Wat waren Pinkeltje en Pinkelotje blij, dat ze uit de raket konden, en vlug klommen ze dan ook langs de ladder naar beneden.

Toen ze op de grond stapten, keken ze dadelijk goed om zich heen, en toen zagen ze, dat ze in een groot bos waren terechtgekomen. Pinkeltje zei eerst een hele tijd niets, en keek maar om zich heen. Opeens zei hij tegen Pinkelotje:

„Ik geloof, dat ik dit bos meer heb gezien, maar ik weet het niet zeker."

Toen keek Pinkeltje naar de vijf eekhoorns en vroeg:

„Hoe heten jullie eigenlijk?"

„Pluimstaart!" riepen ze alle vijf tegelijk.

„En hoe heet u?" vroeg de grootste eekhoorn aan Pinkeltje.

„Ik heet Pinkeltje, en dit is Pinkelotje, mijn vrouw," zei Pinkeltje, terwijl hij naar Pinkelotje wees.

Maar daar stak een van de eekhoorntjes zijn pootje omhoog, wees naar Pinkeltje en zei:

„Bent u meneer Pinkeltje? Ik heb mijn vader wel eens horen vertellen, dat er, toen hij nog jong was, een heel klein mannetje, dat Pinkeltje heette, bij hen op visite is geweest."

„Hoe heette je vader dan precies?" vroeg Pinkeltje.

„Eikeldopje Pluimstaart," antwoordde het eekhoorntje.

„Ik geloof, dat ik je familie wel ken," zei Pinkeltje, „als ik me niet vergis, heb je ook een oom, die Denneappeltje Pluimstaart heet, en ook nog een andere oom, die Beukenootje Pluimstaart heet." *

„Ja, dat is zo!" riepen alle vijf de eekhoorntjes.

Toen Pinkeltje dàt hoorde, riep hij juichend:

„En dan is dit het grote bos! Hoera!! Pinkelotje, nu weet ik waar we zijn!!! WIJ ZIJN IN NEDERLAND!!!"

„Ik ga gauw aan vader en moeder vertellen, dat u hier bent!" riep een van de eekhoorntjes.

„Ja! ja! ja!" riepen nu ook de andere eekhoorns, en rrrrt-rrrrt-rrrrt! wég spongen ze, de bomen in.

* De geschiedenis met Pluimstaart komt voor in „Pinkeltje in Artis".

WEER EEN NIEUWE SCHRIK

Pinkeltje was zó blij, dat hij met Pinkelotje een rondedans op het mos in het bos maakte.

„Pinkelotje! Pinkelotje! Pinkelotje!" riep Pinkeltje telkens, „wat is het heerlijk, dat we in Nederland zijn. Nu kunnen we alle oude kennissen opzoeken en we kunnen ook naar Dick Laan gaan."

Rrrrrt-rrrrt-rrrrt! daar kwamen twee grote eekhoorns door de takken van de bomen aanspringen, en hoepla! daar zaten ze naast Pinkeltje en Pinkelotje op het mos.

„Dag Pinkeltje!" riep een van de eekhoorns, „wat reuze fijn, dat je er weer eens bent, en wat zullen de andere dieren het ook leuk vinden."

Pinkeltje was opgesprongen, toen hij de twee eekhoorns zag komen en nu schudde hij met zijn twee handjes één van de pootjes van de grootste eekhoorn, en riep:

„Dag Pluimstaart! Dag lieve Eikeldopje Pluimstaart! Wat ben ik blij je weer te zien. Kijk eens, dit is Pinkelotje, mijn vrouwtje."

„En dit is mijn vrouw, Pluimoor," zei Pluimstaart, terwijl hij naar de andere eekhoorn wees.

Och, och, och! wat hadden ze elkaar veel te vertellen.

Pinkeltje vertelde van zijn reis naar de maan, en hoe hij toen hier was terechtgekomen.

Pluimstaart vertelde over de dieren uit het bos, die Pinkeltje natuurlijk allemaal goed kende.

Intussen waren Pinkelotje en mevrouw Pluimstaart een eindje gaan wandelen.

Maar wat was dat?

Pinkeltje en Pluimstaart sprongen van schrik overeind, want daar kwam mevrouw Pluimstaart met grote sprongen terughollen, met Pinkelotje op haar rug.

Toen ze dicht genoeg bij waren, riep Pinkelotje:

„Pas op, Pinkeltje! Er komen twee jongens aan en ze zijn al vlakbij!"

Verschrikt keek Pinkeltje om zich heen, en daar zag hij tussen de bomen door de twee jongens al aankomen.

Zo vlug ze konden, verstopten Pinkeltje en Pinkelotje zich onder een paar struiken, terwijl meneer en mevrouw Pluimstaart zich boven in een boom verstopten.

De twee jongens liepen recht op de raket af, maar gelukkig zagen ze hem niet.

Ja toch! daar wees een van de jongens naar de raket en zei:

„Kijk Wim, daar ligt een grote kanonskogel."

O! o! o! wat schrokken Pinkeltje en Pinkelotje.

Pinkeltje fluisterde tegen Pinkelotje:

„Nu nemen ze onze raket misschien wel mee en wat
moeten we dan beginnen, en wat zal meneer Pinkelprof dan
wel zeggen?"

De twee jongens stonden nu voorovergebogen naar de
raket te kijken, toen dezelfde jongen weer zei:

„Zullen we dat ding mee naar huis nemen?"

Pinkeltje kon wel huilen van verdriet, maar luister eens!
wat zei de andere jongen nu:

„Neen Kees, niet aankomen, want dat is heel erg gevaarlijk! Op school en thuis en overal zeggen ze altijd, dat je het
dadelijk aan de politie moet gaan vertellen, waar je een
kogel hebt gevonden."

„Goed," zei Kees, „laten we dàt dan doen. Kom dan maar
gauw mee!"

En vlug liepen de jongens weer verder.

„Hè, hè!" zuchtte Pinkeltje, „gelukkig hebben ze niet aan
de raket gezeten; maar wat moeten we nu doen?"

„Pluimstaart!" riep Pinkeltje, „kun jij de raket verstoppen?"

Pluimstaart probeerde, of hij de raket kon optillen, maar
de raket was veel en veel te zwaar voor hem.

„Met geen tien eekhoorns kunnen we de raket optillen,"
zei Pluimstaart.

„Maar wat moeten we dan doen?" riep Pinkeltje, „straks

komen de jongens met de politie-agenten terug en dan nemen ze de raket mee!"

Opeens kreeg Pluimstaart een plannetje.

Hij riep iets tegen zijn vrouwtje en toen renden ze alle
twee, zo hard ze konden, weg.

Ze wipten de bomen in, sprongen van tak op tak, terwijl
ze steeds maar riepen:

„Jongens, jongens! waar zitten jullie? Jullie moeten vlug
bij ons komen!"

Pinkeltje en Pinkelotje begrepen er niets van.

„Heb jij gehoord, wat Pluimstaart aan zijn vrouw riep?"
vroeg Pinkelotje.

„Neen," zei Pinkeltje, „maar laten we vlug de raket zo
goed mogelijk onder blaadjes en takjes verstoppen en dan
maar hopen, dat de jongens en de politie-agenten de raket
niet vinden."

„Ja, laten we meteen maar beginnen," zei Pinkelotje, en
ze begon bladeren en takjes te zoeken en die naar de raket
te dragen. Pinkeltje stapelde ze tegen de raket aan, maar het
hielp niet veel, want telkens vielen de takjes om of waaiden
de bladeren weg.

Het werd al later en later; elk ogenblik konden de jongens
met de politie-agenten terugkomen.

Pinkeltje en Pinkelotje waren zó moe, dat ze haast niet
meer op hun beentjes konden staan.

O lieve help! wat hoorde Pinkeltje daar?

Pinkeltje durfde haast niet te kijken.

Maar Pinkelotje riep:

„Kijk eens, Pinkeltje! Kijk eens wie daar aankomen!"

Toen zag Pinkeltje in het bos de twee eekhoorns met hun

vijf kinderen aankomen.

En wat droegen ze allemaal op hun rug?

Pinkeltje sprong van blijdschap overeind en holde ze tegemoet.

„Dag Graafpootje! dag mevrouw Graafpootje, dag jongens Graafpootje!" riep Pinkeltje, „ik begrijp al wat jullie willen gaan doen! O, Pluimstaart, je weet niet, hoe blij ik ben, dat je *dit* hebt bedacht!"

„Dag Pinkeltje!" riepen alle Graafpootjes, en meneer Graafpootje zei:

„Ik weet van Pluimstaart al precies, wat er is gebeurd en daarom gaan we meteen maar aan het werk. Later kunnen we dan wel gezellig over alles praten."

Misschien weet je het niet, maar de Graafpootjes zijn mollen, en Pinkeltje had de familie al eens ontmoet.

Meneer Graafpootje zei iets tegen de andere mollen, die daarop dadelijk om en bij de raket begonnen te graven.

Het zand vloog naar alle kanten in het rond, en het duurde dan ook niet lang, of de raket begon in de grond weg te zakken.

Pinkeltje, Pinkelotje en de hele familie Pluimstaart stonden vol bewondering te kijken, hoe vlug en netjes de Graafpootjes aan het werk waren.

De raket zakte aldoor dieper en dieper in de grond weg, tot hij eindelijk helemaal was verdwenen.

De mollen maakten er toen nog een mooi zandheuveltje boven op en daarna gingen ze bij Pinkeltje, Pinkelotje en de familie Pluimstaart zitten.

Ze zaten nog maar net, toen ze in de verte de twee jongens met een politie-agent zagen aankomen.

Gauw verstopten Pinkeltje, Pinkelotje en de mollen zich onder de struiken, terwijl de hele familie Pluimstaart naar boven, in de bomen, wipte.

Toen de jongens en de agent op de plaats kwamen, waar de raket had gelegen, keken ze overal rond, maar toen ze de raket niet vonden, zeiden ze:

„We zijn zeker verkeerd gelopen; misschien ligt de kogel een eindje verder."

Toen ze doorgelopen waren, zei Pinkeltje:

„Dat was net op tijd, Graafpootje!" en van blijdschap gaf hij mevrouw Graafpootje een zoen op haar neus.

ER KOMEN VEEL VOGELS
PINKELTJE EN PINKELOTJE BEGROETEN

Toen de jongens en de politie-agent ver genoeg weg waren, kwamen de Pluimstaarten weer allemaal uit de bomen naar beneden.

Pinkeltje moest nu weer verder vertellen over Pinkeltjesland en over de tocht naar de maan.

Maar al gauw vroeg mevrouw Pluimoor Pluimstaart:

„Waar willen jullie vannacht slapen?"

„Daar hebben we nog helemaal niet aan gedacht!" riep Pinkelotje uit.

„Gaan jullie dan maar met ons mee," zei mevrouw Pluimoor, „ons huis boven in de boom is groot genoeg."

„Graag," zei Pinkelotje, „maar hoe kómen we daar?"

„Klimmen jullie maar op onze rug," zei mevrouw weer, „dan klimmen we vlug naar boven want het wordt al avond."

Dat vonden Pinkeltje en Pinkelotje een goed plan, en gauw namen ze afscheid van de familie Graafpootje.

„Graafpootjes," zei meneer Pluimstaart, „wachten jullie nog even hier, dan brengen we jullie dadelijk op onze ruggen weer naar jullie huis."

Dat vonden de Graafpootjes natuurlijk reuze fijn.

Intussen was Pinkelotje op de rug van mevrouw Pluimoor geklommen en stapte Pinkeltje op de rug van meneer Pluimstaart.

„Goed vasthouden, hoor!" zei meneer Pluimstaart, en samen met zijn vrouwtje begon hij vlug door de bomen te klimmen.

Spoedig waren ze bij hun holletje boven in een boom.

Pinkeltje en Pinkelotje konden erg gemakkelijk door het ronde gat naar binnen klimmen.

Toen gingen alle eekhoorns vlug weer terug, om de Graafpootjes thuis te brengen.

Het eekhoornhuisje boven in de boom was helemaal niet zo klein en het zag er wàt gezellig uit.

Pinkeltje en Pinkelotje waren nog maar net binnen, of daar kwam een klein vogelkopje voor de deur.

„Dag!" zei een fijn stemmetje, „wat leuk, dat jullie er weer zijn!"

Pinkeltje zag dadelijk, dat het Roodveertje, het roodborstje, was.

„Kom binnen, Roodveertje," riep Pinkeltje, maar het roodborstje schudde met zijn kopje van neen en zei:

„Ik heb nu geen tijd, Pinkeltje. Ik moet eerst alle vogels gaan vertellen, dat jullie er zijn."

Roodveertje was nog maar net weg, of daar hoorden Pinkeltje en Pinkelotje een vogel prachtig zingen.

Voorzichtig keek Pinkeltje naar buiten en wie zat daar zo prachtig voor hun huisje te zingen?

Dat was Zilverkeeltje, de leeuwerik.

Toen het liedje uit was, klapten Pinkeltje en Pinkelotje in hun handjes en Pinkelotje zei vol bewondering:

„Wat kun jij prachtig zingen!"

Maar wat klonk daar opeens voor een raar geluid?

Rekketek-rekketek-rekketek-rekketek!

Iemand tikte héél hard tegen de boom.

Pinkeltje wist meteen wie het was.

„Dat is juffrouw Rekketek, de specht," zei hij.

„Hé! juffrouw Rekketek!" riep Pinkeltje nu, „waarom

maakt u zoveel lawaai?"

„Ik klop tegen de boom om te vragen, of ik bij jullie mag komen," zei de leuke vogel.

„Natuurlijk mag je bij ons komen!" riep Pinkeltje terug, „en dan hoef je eerst niet zo deftig te kloppen, hoor."

Toen de specht bij Pinkeltje en Pinkelotje was komen zitten begon ze met haar snavel hard op de boom te slaan.

Ze deed dat zó hard, dat Pinkeltje en Pinkelotje de handen voor hun oren moesten houden.

Rekketek-rekketek-rekketek-rekketek! hamerde juffrouw Rekketek aldoor op de boom.

„Ik vertel nu aan alle vogels van het hele bos, dat jullie er zijn," zei de specht, „op deze manier kan ik het ze heel vlug vertellen."

Het duurde dan ook niet lang, of van alle kanten kwamen er vogels aanvliegen.

Het eerst waren de Hippelpootjes, de mussen, er.

Toen kwamen Pijlsnel, de meeuw, Spikkelveer, de spreeuw, Puntstaart, de zwaluw, Zilverkroontje, het winterkoninkje, en nog veel en veel meer vogels en vogeltjes.

Zelfs kwamen de geleerde meneer Uil en zijn vrouw ook kijken. Het was een drukte van belang.

Alle takken zaten vol vogels, en Pinkeltje en Pinkelotje deden niets dan pootjes schudden en met de vogels praten.

Floep! daar kwamen twee grote, witte duiven aanvliegen.

De vogels, die op de tak bij het eekhoornnest zaten, schoven een eindje op, om plaats te maken voor die twee.

Toen Pinkeltje ze zag, riep hij blij:

„Dag vader Duif! dag moeder Duif! Wat aardig, dat jullie ook komen kijken!"

„Wat denk je wel van ons, Pinkeltje," zei vader Duif, „stel je voor, dat wij, oude vrienden, je niet kwamen opzoeken als je weer eens in Nederland bent."

Zo praatten Pinkeltje en Pinkelotje de hele tijd maar door. De zon was al onder gegaan en de hele familie Pluimstaart was allang weer terug, toen Pinkeltje tegen vader Duif zei:

„Weet u, wie ik nog niet heb gezien?"

„Wie dan, Pinkeltje?" vroeg vader Duif.

„Wipstaart!" zei Pinkeltje, „die komt anders altijd dadelijk."

„Ka-ka-ka!" klonk opeens de stem van een vogel, „ka-ka-ka! daar ben ik dan, Pinkeltje!"

En daar zat opeens vlak bij hen een grote, dikke, zwarte kraai.

„Dag Wipstaart!" riep Pinkeltje, „wat ben ik blij, dat ik je zie. Hoe gaat het met je?"

„Met mij gaat het goed maar ik weet twee andere vrienden van je, die het niet zo best maken," zei de kraai.

„Wie zijn dat dan?" vroeg Pinkeltje.

„Dat zijn Snorrebaard en Wiebelstaart," zei Wipstaart.

„Wat zeg je daar?" riep Pinkeltje verschrikt uit, „wat is er dan met Snorrebaard, de poes, en Wiebelstaartje, het hondje, gebeurd? Wonen ze niet meer bij Dick Laan?"

„Ja, dat nog wel," zei Wipstaart, „maar meneer Dick Laan is op reis en nu wonen ze zo lang bij meneer Peters."

„En is die meneer Peters niet aardig voor Snorrebaard en Wiebelstaartje?" vroeg Pinkeltje weer.

„Jawel," zei Wipstaart, „maar toen ik ze vertelde, dat jij en Pinkelotje in het grote bos waren, wilden ze natuurlijk naar jullie toe. Toen ze het huis uit wilden, begreep meneer

Peters natuurlijk niet, waarvoor dat nodig was en hij wilde dan ook niet, dat ze nog zo laat naar buiten gingen. Toen probeerde Snorrebaard tóch weg te lopen, maar dat lukte niet, want meneer Peters pakte hem gauw op en nam hem mee naar binnen. En weet je, wat die domme Snorrebaard toen deed? Snorrebaard krabde toen meneer Peters op zijn hand, en Wiebelstaartje begon hard te blaffen. Meneer Peters werd toen écht boos en heeft Snorrebaard en Wiebelstaartje opgesloten in een kamer."

„Het was dom van Snorrebaard en Wiebelstaartje om te krabben en te blaffen," zei Pinkeltje, „maar ik wil toch dadelijk naar ze toe. Kun jij me er niet heenbrengen, Wipstaart?"

„Dat wil ik best; klim dan maar op mijn rug," zei Wipstaart.

„Ik zal jou wel dragen, Pinkelotje," zei Spikkelveer, de spreeuw.

Toen vroeg Pinkelotje aan mevrouw Pluimoor Pluimstaart:

„Vindt u het niet erg onaardig van ons, dat we zo maar weggaan?"

Maar mevrouw Pluimoor zei dadelijk:

„Ik vind het helemaal niet erg, hoor! Ik kan best begrijpen, dat je graag naar je beste vriendjes toe wil."

Pinkeltje kroop nu op de rug van Wipstaart en Pinkelotje op de rug van Spikkelveer, en zo vlogen ze naar het huis van meneer Peters.

De zon was al een poosje onder, en het werd al flink donker. Gelukkig wisten de vogels precies, waar ze moesten zijn.

PINKELTJE EN DE KLIMPARTIJ

Op de ruggen van de twee vogels kwamen Pinkeltje en Pinkelotje na een half uurtje vliegen bij het huis, waar Snorrebaard en Wiebelstaartje zaten opgesloten.

„Hier is het," zei Wipstaart, „we moeten om het huis heen vliegen, want achter is een raam, waardoor je in de kamer kunt kijken, waarin ze opgesloten zitten."

Spikkelveer vloog achter Wipstaart aan het huis om en ging net als Wipstaart op de vensterbank van een groot raam zitten.

Binnen in de kamer brandde een lichtje, en Pinkeltje en Pinkelotje zagen het hondje en de poes samen in een mand liggen.

Snorrebaard lag tussen de poten van Wiebelstaartje.

Och, och, wat keken ze alle twee verdrietig!

Pinkeltje tikte eens met zijn vinger tegen het raam.

Daar keek Wiebelstaartje op en .... rats! daar vloog hij zijn mand uit en sprong hij naar het raam.

Door de schok vloog de mand ondersteboven en toen rolde Snorrebaard uit de mand op de grond.

„Domoor! kijk toch uit!" riep Snorrebaard boos.

Maar Wiebelstaartje riep alleen:

„Waf-waf-waf! Dag Pinkeltje! Snorrebaard, daar is Pinkel-tje!!"

Nu zag Snorrebaard Pinkeltje ook, en met een sprong was hij overeind en even later zat ook hij op de vensterbank.

„Miauw-miauw! dag Pinkeltje!" riep Snorrebaard.

Pinkeltje en Pinkelotje wuifden met hun handen voor het

raam en Pinkeltje riep: „Kunnen jullie het raam niet openmaken?"

Verdrietig schudde Wiebelstaartje met zijn kop, en zei:

„Dat gaat niet, want meneer Peters heeft het raam en de
deur stevig op slot gedaan."

„Maar wat kunnen we dan doen?" vroeg Pinkelotje.

„Dat weet ik niet," zei Snorrebaard, „meneer Peters is zó
boos op ons, dat we niet meer naar buiten mogen."

„Ik wou, dat ik even bij jullie kon komen," zei Pinkeltje,
„wat zou dát gezellig zijn!"

Maar wie kwam daar voor het raam naar beneden zakken?

„Daar is Zilverdraadje!" riep Pinkeltje opeens vrolijk uit.
„Dag Zilverdraadje! Wat heb ik jou lang niet gezien; je ziet
er best uit!"

De spin, want Zilverdraadje was een spin, stak een van zijn pootjes uit om Pinkeltje hartelijk te begroeten.

„Dag Pinkeltje! Dag Pinkelotje!" zei Zilverdraadje, „wat leuk, dat Pinkelotje ook meegekomen is. Zeg, als jullie naar binnen willen, kan ik jullie misschien wel helpen."

„Hoe dan?" vroeg Pinkeltje.

Toen zei Zilverdraadje:

„Zie je daar boven je dat ronde luchtgat in het raam? Dat ronde gat met die klepjes er voor. Die klepjes staan nu zó, dat het luchtgat open is; als ze recht naar beneden staan, is het luchtgat dicht."

„Ja," zei Pinkeltje, „ik zie het luchtgat met de klepjes, maar hoe kom ik bij dat luchtgat?"

„Daar wil ik nu juist voor zorgen," zei Zilverdraadje, „ik maak een héél dikke draad met veel knopen er in en daarlangs klim je dan omhoog. Aan de binnenkant is een touwtje, waar ze het raam mee open en dicht doen en langs dat touwtje klim je dan naar beneden."

„Maar dat kan ik niet!" riep Pinkelotje.

„Misschien kan Pinkeltje het raam aan de binnenkant open krijgen," zei Zilverdraadje, „als het te zwaar voor je is, Pinkeltje, kan Snorrebaard je misschien wel helpen."

„Toe Pinkeltje," riep Snorrebaard, „laten we het proberen! Als het niet gaat, kun je altijd weer teruggaan."

„Goed," zei Pinkeltje, „ik zal het proberen. Spikkelveer, blijf jij dan bij Pinkelotje?"

„Natuurlijk doe ik dat," zei Spikkelveer.

„En ik blijf ook wachten!" riep Wipstaart.

Meteen begon Zilverdraadje een stevige draad te spinnen, met een heleboel knopen er in.

„Waf-waf! wat een prachtige draad is dat!" blafte Wiebel-staartje.

„Houd je toch stil!" bromde Snorrebaard, „als je zoveel lawaai maakt, komt meneer Peters kijken en dan ziet hij Pinkeltje."

Toen de draad met knopen klaar was, klom Pinkeltje naar boven. Gelukkig kon Pinkeltje niet omlaag zakken, want de knopen hielden hem natuurlijk tegen.

Pinkelotje en alle beesten keken vol spanning toe.

Daar was Pinkeltje bij het luchtgat en kroop hij er door naar binnen. Toen kwam het moeilijkste van de hele klim-partij.

Pinkeltje moest nu het touw, dat bij het luchtgat vastzat, pakken en dan daarlangs naar beneden klimmen.

Voorzichtig stak Pinkeltje zijn hand uit, greep het touwtje en trok het naar zich toe.

Nu sloeg hij zijn benen om het touw heen en begon zich voorzichtig naar beneden te laten zakken.

„Prachtig gedaan, Pinkeltje!" zei Snorrebaard zachtjes.

Maar wat was dat?

Wat gebeurde daar?

De klepjes boven bij het luchtgat bewogen even heen en weer, en toen ......

Pats! daar schoot het touwtje een eindje los, de klepjes van het luchtgat vielen dicht, en krak! daar brak het touwtje.

„Help! help! help!" riep Pinkeltje, want toen het touwtje brak, viel Pinkeltje natuurlijk naar beneden.

Pinkeltje deed van schrik zijn ogen stijf dicht en dacht:

„Nu val ik met een harde klap op de vensterbank."

Maar wat was dat nu?

Pinkeltje kwam niet met een harde klap op de vensterbank terecht; Pinkeltje kwam op iets héél zachts terecht!

Verbaasd deed Pinkeltje zijn ogen open en vlak voor zich zag hij de kop van Snorrebaard, de poes.

En weet je, wat er nu gebeurd was?

Toen Snorrebaard Pinkeltje aan het touw zag hangen, dacht hij:

„Stel je voor, dat het touwtje nu eens kapot ging. Wat zou die arme Pinkeltje dan met een harde klap op de vensterbank terecht komen en zich pijn doen. Weet je wat? Ik ga onder het touwtje liggen. Als het dan breekt, valt hij boven op mij en doet zich vast geen pijn."

Het is maar heel fijn, dat Snorrebaard dat had bedacht, vind je ook niet?

„Heb je je pijn gedaan, Pinkeltje?" vroeg Pinkelotje aan de andere kant van het raam.

„Neen, gelukkig niet," riep Pinkeltje terug; „zeg Snorrebaard, heb ik jou pijn gedaan?"

„Helemaal niet," antwoordde Snorrebaard.

„Doe het raam open," zei Spikkelveer, „dan komen wij ook binnen."

Snorrebaard tilde Pinkeltje op.

Ha! Pinkeltje kon nu juist bij de knop van het raam komen. Maar hoe Pinkeltje ook trok en trok, hij kon het raam niet open maken.

„O lieve help!" riep Pinkeltje, „nu zit ik opgesloten. Het raam is dicht en de kleppen van het luchtgat zijn dicht. Ik kan nu ook niet meer terug, en Pinkelotje zit buiten! Wat moeten we nu doen?"

Toen zei Wipstaart:

„Het beste is, dat Spikkelveer en ik Pinkelotje weer naar mevrouw Pluimstaart brengen, en dat Pinkeltje morgen uit het huis probeert te komen. Ik kom dan morgen terug om Pinkeltje af te halen."

Dat plan vond iedereen best, en dus vloog Pinkelotje weer op de rug van Spikkelveer terug en bleef Pinkeltje bij Snorrebaard en Wiebelstaartje in het huis van meneer Peters.

HOE PINKELTJE WEER IN HET GROTE BOS KWAM

Het was wel erg vervelend, dat Pinkeltje nu met Snorrebaard en Wiebelstaartje in de kamer opgesloten zat, maar daar was nu eenmaal niets aan te doen.

Pinkeltje ging daarom maar bij Snorrebaard en Wiebelstaartje in de mand zitten, en vertelde over zijn reis naar de maan en wat er zo al in Pinkeltjesland was gebeurd.

Ook vertelde Pinkeltje, dat hij voor koningin Pinkelschoon iets heel bizonders moest meenemen, en dat hij nog steeds niet wist, wat dat moest zijn.

„Maar weten jullie, wat het ergste is?" zei Pinkeltje, „ik weet niet, hoe ik met de raket moet teruggaan. Zonder vuurbollen kan de raket niet de lucht in gaan."

„Kunnen de vuurvliegjes, die hier wonen, dan geen vuurbollen maken?" vroeg Snorrebaard.

„O neen," zei Pinkeltje, „alleen de vuurvliegen in Pinkeltjesland weten het geheim van de vuurbollen. Dat geheim heeft meneer Pinkelprof ze verteld."

„Weet jij dan niet, hoe die vuurbollen gemaakt worden?" vroeg Wiebelstaartje.

„Neen, dat weet ik niet. Ik weet alleen maar, hoe ze in de raket worden gestopt."

„Het beste is," zei Wiebelstaartje weer, „dat er een paar vogels naar Pinkeltjesland vliegen om vuurbollen te halen."

„Dat is een goed plan," zei Pinkeltje, „dan geef ik de vogels een briefje mee voor meneer Pinkelprof."

„Miauw," zei Snorrebaard een beetje verdrietig, „maar je moet eerst uit deze kamer zien weg te komen. Ik wou, dat ik je niet had gevraagd om door dat luchtgat naar ons toe te komen."

„Lieve, beste Snorrebaard," zei Pinkeltje, terwijl hij de poes over zijn neus aaide, „jij kunt het toch niet helpen, dat het touw stuk ging. Ik kom heus wel weer uit de kamer hier. Ik weet nog wel niet precies hoe, haar het lukt me vast wel, hoor."

Stap-stap-stap-stap! daar liep iemand door de gang van het huis en kwam naar de deur van hun kamer.

Verschrikt keek Pinkeltje om zich heen, en sprong vlug uit de hondemand.

„Waar kan ik me verstoppen, als er iemand binnenkomt?" riep hij.

„Kruip gauw achter de kachel," riep Wiebelstaartje.

Krek-krek-krek! daar werd de sleutel in het slot van de deur al omgedraaid.

Pinkeltje holde naar de kachel.

De deur van de kamer ging al open en meneer Peters kwam binnen.

Pinkeltje was nu bij de kachel gekomen, maar de kachel stond plat op de grond, en nergens zag Pinkeltje een plekje om onder of achter te kruipen.

Stap-stap-stap-stap! Meneer Peters stapte door de kamer.

„Waf-waf-waf!" blafte Wiebelstaartje en „miauw-miauw-miauw!" miauwde Snorrebaard, terwijl ze op meneer Peters afvlogen.

„Snorrebaard!" riep Wiebelstaartje, „laten we tegen meneer Peters opspringen, dan ziet hij Pinkeltje misschien niet."

Dat deed Wiebelstaartje, en Snorrebaard streek maar met zijn kopje langs de benen van meneer Peters.

„Doe maar niet zo lief," zei meneer Peters, „hier zijn jullie bakjes met eten."

Toen zette meneer Peters de twee bakjes met eten op de grond, liep de kamer uit, en deed de deur weer op slot.

„Daar heb je het al," zuchtte Wiebelstaartje, „hij is nog boos op ons."

Toen keek Wiebelstaartje de kamer rond en zei:

„Waar zit Pinkeltje? Ik zie hem nergens!"

„Hier!" hoorden ze Pinkeltje roepen, en toen ...... toen zagen ze Pinkeltje uit de asla van de kachel kruipen!

Och, och! wat zag die Pinkeltje er uit!

Zijn hele gezicht en zijn pakje zaten vol zwarte strepen.

Snorrebaard en Wiebelstaartje liepen vlug naar hem toe.

„Kijk eens, wat ik heb gevonden," riep Pinkeltje, en hij hield een mooie, gouden ring met een prachtige diamant er in, in de hoogte.

„Dat is de ring, die mevrouw Peters heeft verloren," riep Snorrebaard, „ze heeft er al zo lang naar gezocht, en ze was zo verdrietig, omdat ze hem kwijt was. Waar heb je hem gevonden, Pinkeltje?"

„Hier, achter in de asla van de kachel," zei Pinkeltje.

„Wat zal mevrouw blij zijn," zei Snorrebaard.

Pinkeltje zei een hele poos niets, maar opeens zei hij:

„Nu moet je eens goed naar me luisteren. Als meneer Peters morgen de kamer binnenkomt met jullie eten, ga jij, Wiebelstaartje, netjes opzitten en dan houd je de ring tussen je voorpoten. Als hij dan de ring aanpakt, lopen jullie allebei naar de deur en begin je hard te blaffen en te miauwen. Je zult dan zien, dat hij jullie allebei naar buiten laat gaan."

Toen de volgende morgen meneer Peters met het eten binnenkwam, ging Wiebelstaartje netjes voor hem opzitten met de ring tussen zijn poten.

Eerst zag meneer Peters de ring niet, en daarom zei hij:

„Wel, wel, dat doe je netjes! Als je maar niet denkt, dat je nu op straat mag."

Maar toen zag meneer Peters de ring.

Verbaasd boog hij zich vooröver, en zei, terwijl hij de ring aanpakte:

„Wat heb je daar nu gevonden? Maar dat is de ring van mijn vrouw!"

„Waf-waf! dat had je niet gedacht, hè!" blafte Wiebelstaartje.

Wat was meneer Peters blij!

Snorrebaard en Wiebelstaartje gingen vlug voor de deur zitten en ze riepen:

„We willen er uit! We willen er uit. We willen er uit!"

Natuurlijk verstond meneer Peters dat niet, maar hij begreep wel, dat Snorrebaard en Wiebelstaartje graag naar buiten wilden, en omdat hij zo blij was, zei hij:

„Vooruit dan maar! Gaat dan maar even de straat op!"

Meneer Peters zette de deur van de kamer wijd open en luid blaffend rende Wiebelstaartje naar buiten.

Snorrebaard maakte eerst nog een wandelingetje door de kamer en liep toen ook de straat op.

„Ziezo," zei meneer Peters, „opgeruimd staat netjes!" en hij deed de deur dicht.

Toen Snorrebaard en Wiebelstaartje een eindje op straat hadden gewandeld, zei Snorrebaard, terwijl hij bleef staan:

„Klim nu maar op mijn rug, Pinkeltje, dan gaan we gauw Pinkelotje opzoeken."

Want weet je, wat Snorrebaard had gedaan?

Hij was, toen meneer Peters de deur openzette, nog even langs de hondemand gewandeld, had Pinkeltje gauw aan zijn jasje opgepakt en was toen de kamer uitgelopen.

Het duurde niet zo heel lang, of Snorrebaard, Wiebelstaartje en Pinkeltje kwamen in het grote bos, en daar wees Pinkeltje hen de weg naar de boom, waarin de familie Pluimstaart woonde en waar ook Pinkelotje was.

Toen ze bij de boom kwamen, werden ze door Pinkelotje en door alle Pluimstaartjes met gejuich begroet.

Wipstaart en Spikkelveer waren er ook nog, en omdat Pinkeltje nu weer bij hen was, hoefden ze niet naar het huis van meneer Peters te vliegen om Pinkeltje te halen.

En zo kwam Pinkeltje weer terug in het grote bos.

112

HET BIZONDERE CADEAU

Rekketek-rekketek-rekketek-tek-tek! door het hele bos kon je het gehamer horen, dat juffrouw Specht met haar snavel op een boom maakte.

„Hoor je dat?" vroeg Roodveertje aan zijn vrouwtje, „juffrouw Specht zegt, dat we allemaal bij de dikke boom moeten komen." Rekketek-rekketek-rekketek-rekke-rekke-rekke-tek-tek-tek-tek! klonk het weer door het bos.

„Stil, Roodveertje," zei zijn vrouwtje, „we moeten goed luisteren, wat ze nog meer zegt."

Juffrouw Specht rekketekte nog even door en hield toen op.

„Zo, dàt is het dus!" zei Roodveertje, „Pinkeltje vraagt, of we allemaal willen komen, want hij wil ons iets vragen."

„Laten we dan maar gauw gaan," zei mevrouw Roodveertje en meteen vlogen ze naar de dikke boom.

Het was al druk bij de dikke boom; van alle kanten kwamen er dieren aanlopen en aanvliegen.

Onder de dikke boom zaten Pinkeltje en Pinkelotje op een grote paddestoel, en naast hen zaten Wiebelstaartje en Snorrebaard. Vlak daarachter zaten op een dikke tak alle Pluimstaartjes. Op een boomstronk naast de paddestoel zat deftig en heel stil de geleerde meneer Uil.

Soms hield hij zijn ogen dicht en dan was het net, of hij sliep. Maar slapen deed hij niet; hij dacht alleen maar diep, héél diep na.

Alle dieren wisten, dat meneer Uil de knapste was van

hen allemaal. Toen dan ook meneer Uil begon te praten, waren ze opeens allemaal heel stil en luisterden ze goed naar wat hij zei:

„Dieren van het grote bos," zo begon meneer Uil, „we zijn natuurlijk allemaal erg blij, dat Pinkeltje en Pinkelotje weer eens bij ons zijn. We zouden graag willen, dat ze bleven, maar dat gaat niet; Pinkeltje en Pinkelotje moeten weer terug naar Pinkeltjesland. Nu hebben jullie misschien al gehoord, dat er iets akeligs is. Het ding, waarmee Pinkeltje en Pinkelotje naar hier zijn gekomen en dat raket heet, kan niet meer vliegen, omdat er geen vuurbollen meer in zitten. Die vuurbollen worden gemaakt door de vuurvliegen in Pinkeltjesland en niemand anders kan dat doen. Daarom vraag ik nu: *Wie van jullie wil naar Pinkeltjesland vliegen om vuurbollen te halen?*"

Even was het stil, maar toen opeens kwamen van alle kanten vogels aanhippen en aanvliegen en ze riepen elk:

„Ik wil wel gaan! Ik wil het wel proberen! Laat mij maar gaan!"

Toen zei Pijlsnel, de meeuw, die vlak voor Pinkeltje was gaan zitten: „Laat mij maar gaan, want ik ben wel meer naar Pinkeltjesland geweest."

„Ik ga mee." zei Puntstaart, de zwaluw, „ik vlieg net zo hard als jij, Pijlsnel, en ik weet óók precies de weg naar Pinkeltjesland."

„Gaan jullie samen," zei meneer Uil, „dan kunnen jullie allebei wat vuurbollen meenemen!"

„Dat is een goed plan," zei Pijlsnel, „en laten we dan maar dadelijk vertrekken."

„Bravo! Hoera!!" riepen al de andere dieren.

Pinkeltje en Pinkelotje bedankten de twee vogels meteen, en Pinkeltje zei:

„Ik heb vlug een briefje voor meneer Pinkelprof geschreven. Willen jullie dat voor mij meenemen? Doet hem ook vooral de groeten. Pinkelotje en ik zijn reuze blij, dat jullie ons zo willen helpen." Toen gaven Pinkeltje en Pinkelotje de beide vogels een pootje en daarna vlogen de vogels weg.

Ze werden door alle dieren nagekeken, tot ze niet meer te zien waren.

„Nu is er nóg wat!" zei meneer Uil, „wie van jullie weet er in ons mooie Nederland iets, dat héél bizonder is? Pinkeltje moet voor de koningin van Pinkeltjesland iets heel bizonders meenemen, iets dat nergens anders te vinden is. Wie van jullie weet iets?"

Meteen kwam een dikke muis naar voren en zei:

„Kaas!"

„Wat zeg je?" vroeg Pinkeltje verbaasd.

„Ik zei kààs!" zei de muis, „lekkere Edammer of Goudse kaas! Nergens op de wereld krijg je zúlke lekkere kaas!"

„Kaas kunnen we niet meenemen," zei Pinkeltje; „dat wordt veel te zwaar."

„Een Deventer koek!" riep een andere muis.

„Neen, die kunnen ze ook niet meenemen," zei meneer Uil, „en ik geloof, dat het allemaal grote snoepers zijn, die kaas en koek bedenken."

„Is dat zo?" vroeg een klein veldmuisje aan de dikke muis.

„Nou en of!" zei de dikke muis zachtjes, „ik snoep er zo vaak van als ik maar kan."

Daar riep een grote ekster:

„Pinkeltje, is een zilveren lepeltje met een molentje er

op niet een prachtig cadeau? Ik kan er vast wel ergens een voor je krijgen."

„Zilveren lepeltjes hebben we genoeg in Pinkeltjesland," zei Pinkeltje, „en wat moet onze koningin met een lepeltje doen, dat net zo groot is als zij zelf. Neen, het moet iets héél anders zijn; het moet iets zijn, dat onze koningin nog nóóit heeft gezien."

Toen kwam er een klein, verlegen konijntje naar Pinkeltje toe en zei: „Als u eens een mooie tulpebol mee zou nemen! Ik vind tulpen altijd zulke prachtige bloemen, en ze zijn hier in Nederland toch altijd nog het mooist."

Even waren alle dieren heel stil, en het kleine konijntje keek dan ook erg verlegen om zich heen.

Maar daar sprong Pinkeltje van de paddestoel af, liep naar het konijntje toe en zei:

„Dàt is een prachtig plan! Dat doe ik! Ik neem een échte tulpebol mee! De koningin kan die tulpebol dan in haar tuin planten. Een tulp is in Pinkeltjesland iets heel, héél bizonders!"

Toen bedankte Pinkeltje het konijntje heel hartelijk.

Het konijntje werd er zó verlegen van, dat zijn neusje er vuurrood van werd.

De volgende dag ging Pinkeltje op de rug van Wipstaart naar een heel grote, houten schuur.

In die houten schuur waren allemaal rekken, en op die rekken lagen wel honderd en honderd en nog veel meer tulpebollen.

Wipstaart wipte met Pinkeltje op zijn rug van het ene rek naar het andere, en Pinkeltje las alle briefjes bij de rekken, waarop stond welke soort tulpen er lagen.

Opeens zei Pinkeltje:

„Ho! wacht eens, Wipstaart! Dit is de soort tulp, die ik hebben wil. Dit is een kleine, róde tulp en koningin Pinkelschoon houdt zo veel van rode bloemen. Maar hoe kan ik die tulpebol pakken?

„Zal ik je helpen?" klonk opeens de stem van een kleine, zwarte kraai.

„Graag!" zei Pinkeltje.

Toen pakte de kleine kraai een tulpebol tussen zijn poten, vloog even omhoog en zette toen de tulpebol op de rug van Wipstaart, vlak voor het plekje, waar Pinkeltje zat.

Pinkeltje sloeg zijn armen om de tulpebol heen, en zo kon hij hem stevig vasthouden.

Pinkeltje bedankte de kleine kraai, en terwijl Pinkeltje de tulpebol zo stevig mogelijk vasthield, vloog hij op de rug van Wipstaart terug naar het grote bos.

DE VUURBOLLEN KOMEN

Zoef-zoef-zoef-zoef-zoef-zoef-zoef-zoef-zoef-zoef-zoef!

Zo hard hij kon, vloog Pijlsnel terug naar het grote bos. Om zijn hals droeg hij een wit zakje.

Pijlsnel keek scherp voor zich uit, of hij het grote bos al kon zien. Gelukkig duurde het niet lang, of daar zag hij de eerste bomen al. Even later zag hij ook de dikke boom, waar hij Pinkeltje, Pinkelotje en de dieren weer zou ontmoeten.

„Rekketek-rekke-rekke-tek-tek-tekketek!" juffrouw Specht had Pijlsnel in de verte zien aankomen en nu vertelde ze het gauw aan alle dieren in het bos, door met haar snavel tegen een boomstam te kloppen.

Ook Pluimstaart had het geklop gehoord en hij vertelde het nieuws gauw aan Pinkeltje.

„Kruip maar gauw op mijn rug, Pinkeltje," zei hij, „dan gaan we naar de dikke boom."

Toen Pinkeltje op de rug van Pluimstaart bij de dikke boom aankwam, zat Pijlsnel er al op de grond.

„Dag Pijlsnel!" riep Pinkeltje, „wat ben je al vlug weer terug!"

„Dag Pinkeltje," zei Pijlsnel, „hier heb je alvast een zakje met vuurbollen, maar er komt nog een zakje, want meneer Pinkelprof heeft verteld, dat er in dit zakje geen vuurbollen genoeg zitten om de raket te laten vliegen."

„Heb je meneer Pinkelprof dan gesproken?" vroeg Pinkeltje.

„Neen, ik niet, maar Puntstaart wel," zei Pijlsnel, „ik ben niet in Pinkeltjesland geweest, want daar is het te warm voor mij. Ik moet altijd een beetje bij de zee blijven; daar is het heerlijk fris. Puntstaart en ik hebben afgesproken, dat hij van de zeekant naar Pinkeltjesland zou vliegen, en dat ik dan weer van de zeekant naar hier zou gaan. Toen Puntstaart bij me terugkwam en me dit zakje met vuurbollen gaf, zei hij, dat meneer Pinkelprof had gezegd, dat er nog zo'n zakje vuurbollen nodig was om de raket te kunnen laten vliegen. Puntstaart is nu weer naar Pinkeltjesland teruggevlogen. Nu ga ik straks terug om het volgende zakje te halen, want Puntstaart komt niet naar Nederland terug; hij blijft liever nog een poosje in Afrika."

„Dat is reuze fijn van je," lachte Pinkeltje, „en ik moet je alvast erg bedanken."

„Niks te bedanken!" riep Pijlsnel, „Puntstaartje en ik doen het graag voor je."

„Hoe krijg je nu die vuurbollen in de raket, Pinkeltje?" vroeg vader Duif.

„Dat gaat heel best; dat zult u straks wel zien," zei Pinkeltje, „maar wilt u nu eerst even vragen, of de Graafpootjes hier willen komen?"

Toen de Graafpootjes waren gekomen en Pinkeltje even later met hen op de plek kwam, waar de raket in de grond was gestopt, vroeg Pinkeltje:

„Kunnen jullie misschien een paar gangen naar en om de raket graven?"

„Natuurlijk kunnen we dat," riepen de mollen, „en we zullen het meteen maar doen ook."

Daar kwam Pijlsnel aanvliegen.

„Ik ga terug naar Puntstaart om de tweede zak met vuurbollen te halen," zei hij.

„Fijn," zei Pinkeltje, „wat helpen jullie me allemaal toch reuze goed."

Toen de gangen waren gegraven, kwamen de Graafpootjes Pinkeltje halen. Ook Pinkelotje kwam er bij en samen met de Graafpootjes liepen ze mee, tot ze bij een rond gat in de grond kwamen.

„Hier moeten we naar binnen," zei meneer Graafpootje.

„Maar hier zit de raket toch niet in de grond verstopt," zei Pinkeltje verbaasd.

„Neen, dat is zo, maar we hebben er met opzet een lange gang naar toe gegraven," zei meneer Graafpootje, „want als de grote mensen nu de gang zien, kunnen ze niet meteen bij de raket komen."

Bij de ingang van de gang zag Pinkeltje een klein, helder lichtje branden.

„Dat is vast en zeker Goudlampje!" riep Pinkeltje.

„Goed geraden!" zei de glimworm, „loop maar vlug netjes achter me aan, dan stoot je je nergens aan."

Samen met Pinkelotje en meneer en mevrouw Graafpootje liep Pinkeltje achter Goudlampje de donkere gang in.

Wat deed die Goudlampje zijn best om het lantaarntje op zijn kop zo helder mogelijk te laten schijnen en alles goed te verlichten.

De gang was zo ruim gemaakt, dat Pinkeltje en Pinkelotje er rechtop door konden lopen.

„Waarom hebben jullie zoveel bochten in de gang gemaakt?" vroeg Pinkeltje.

„Dat kon niet anders," zei meneer Graafpootje, „want we moesten om dikke wortels van de bomen heen graven."

„Daar had ik niet aan gedacht," zei Pinkeltje.

„Hier is de laatste bocht," zei Goudlampje.

Toen ze de laatste bocht om waren, riepen Pinkeltje en Pinkelotje allebei tegelijk:

„Ooooo!!" en daarna bleven ze stil staan kijken.

Voor zich zagen ze een prachtig, groot hol, en in het midden van dat hol stond de raket prachtig, glanzend opgepoetst.

Het hele hol werd schitterend verlicht door wel tien en nog eens tien glimwormen, en langs de kant zaten wel honderd grote, bruine mieren en de kinderen Graafpootje.

„O! o!" riep Pinkeltje verbaasd, „hoe is het toch mogelijk, dat de raket zo prachtig glanzend is opgepoetst?"

„Dat hebben wij gedaan!" riepen de mieren.

„Het is geweldig!" zei Pinkelotje.

Pinkeltje was nu gauw naar de raket gelopen en had aan

de buitenkant van de raket op een knop gedrukt, om te zien, of het deurtje wilde opengaan.

Gelukkig ging het deurtje meteen open en kwam de ladder naar buiten. Vlug klommen Pinkeltje en Pinkelotje naar binnen, om te zien, of daar ook alles in orde was.

Pinkelotje begon natuurlijk meteen alles in de raket op te ruimen, en Pinkeltje keek alles op het witte bord met de knoppen na.

„Er is gelukkig niets stuk," zei Pinkeltje, „als de vuurbollen in de raket zitten, kunnen we gewoon weer wegvliegen, denk ik."

„We gaan toch zo gauw mogelijk weer terug, hè Pinkeltje," vroeg Pinkelotje zachtjes.

„Zo gauw als de vuurbollen er in zitten!" zei Pinkeltje, en vlug gaf hij Pinkelotje een dikke zoen.

PINKELTJE MAG NIET WEG

De volgende dag begon Pinkeltje dadelijk de door Pijlsnel meegenomen vuurbollen onder in de raket te stoppen.

Dat was een heel precies werkje, want als de vuurbollen
maar een beetje verkeerd zitten, gaat de raket niet de lucht
in.

Toen Pinkeltje een poosje aan het werk was, kwam één
van de kinderen Graafpootje met een zakje in zijn bek
aanlopen.

„Wat heb je daar?" vroeg Pinkeltje; maar toen hij het
zakje beter zag, riep hij blij:

„Ha! dat is prachtig! dat is de tweede zak met vuurbollen!"

„Goed geraden!" riep het Graafpootkind, „en er is ook
een brief bij."

Vlug pakte Pinkeltje de brief en las hem meteen aan
Pinkelotje voor. Hier kun je lezen, wat er in de brief stond:

Beste Pinkeltje,

Van Puntstaart, die mooie zwaluw, kreeg ik je brief. Het
is dus nog goed afgelopen met je landing in het bos. Ik stuur
je hier de rest van de vuurbollen. Nu kun je dus weer in
Pinkeltjesland terugkomen. Ik ben erg blij, dat de raket nog
heel is en dat jullie nog gezond zijn. Komt maar gauw terug!
Heel veel groeten, ook aan je lieve Pinkelotje,

Pinkelprof.

„Leuk van meneer Pinkelprof om een briefje te schrijven,"
zei Pinkelotje.

„Ja, erg leuk," zei Pinkeltje. En toen ging hij verder:

„Zeg Pinkelotje, ik heb nog wel twee dagen werk om alle vuurbollen netjes in de raket te stoppen. Weet je, wat jij moest gaan doen, Pinkelotje? Jij moest de tulpebol voorzichtig door de gangen naar hier, naar de raket brengen, dan kunnen we de tulpebol alvast netjes in de raket opbergen."

Dat vond Pinkelotje een goed plan en meteen liep ze met een van de glimwormen door de gangen naar buiten.

Pinkelotje kon de tulpebol niet alleen dragen, want hij was veel te zwaar.

Eerst wilde ze aan de Graafpootjes vragen, of die de tulpebol wilden dragen, maar ze vroeg dat toch maar niet, want die Graafpootjes hadden zulke scherpe nagels, dat ze de tulpebol vast en zeker stuk zouden maken.

Pinkelotje wist eerst niet wat ze moest doen, maar opeens had ze een goed plan.

Onder de bomen zocht Pinkelotje een groot, mooi en sterk beukeblad, waarop ze voorzichtig de tulpebol rolde.

Daarna riep ze één van de Graafpootjes bij zich en vroeg:

„Wil je mij een plezier doen?"

„Altijd," zei het mollekind.

„Mag ik de steel van dit beukeblad aan je staart binden?" vroeg Pinkelotje, „en wil je dan het blad met de tulpebol er op voorzichtig door de gangen naar de raket trekken?"

„Natuurlijk, Pinkelotje," zei het mollekind, „ga jij maar op de rand van het blad staan, want dat kan ik allemaal best trekken."

Dat deed Pinkelotje; ze ging op het blad staan en hield de tulpebol stevig vast.

„Voorzichtig! niet te vlug hoor!" riep Pinkelotje.

Nu, dat deed het kleine Graafpootje dan ook.

Hij trok het blad, als een soort sleetje, met Pinkelotje en de tulpebol er op, heel voorzichtig, door de gangen tot bij de raket.

„Dat heb je mooi gedaan! Dank je wel, Graafpootje!" riep Pinkelotje.

Even later tilden ze met elkaar de tulpebol in de raket.

Het werd binnen in de raket wel erg vol, maar dat vonden Pinkeltje en Pinkelotje niet erg, want ze hadden nu toch maar een bizonder cadeau voor de koningin.

Blij liepen ze de gang uit en naar buiten om nog een

wandelingetje door het bos te maken, voor ze weer met de raket zouden vertrekken.

Maar toen ze weer bij de gang terugkwamen, gebeurde er iets heel ergs!

Toen Pinkeltje en Pinkelotje de gang in wilden gaan, zaten er wel tien dieren bij de ingang, en vlak voor de ingang zat de geleerde meneer Uil.

„Wat is er?" vroeg Pinkeltje verbaasd, „waarom mogen wij de gang niet in?"

„Dat zal ik je vertellen," zei meneer Uil, „jullie weten wel, dat het een hele tijd niet heeft geregend, en dat daardoor het bos erg droog is geworden. Nu zijn we bang, dat de vuurvlam het bos in brand zal steken, als je met de raket tussen de bomen door omhoog gaat. Als dat zou gebeuren, zouden al onze nestjes en huisjes verbranden en waar moeten we dan wonen?"

„Maar ik moet weg!" riep Pinkeltje verschrikt, „ik moet weg! ik moet naar Pinkeltjesland, want de koning wil het bizondere cadeau voor de koningin vóór haar verjaardag hebben."

„Dat is dan heel jammer voor de koning," zei meneer Uil, „maar jullie mogen de gang niet in, en jullie zullen moeten wachten tot het gaat regenen en het bos kletsnat is geworden."

Die arme Pinkeltje wist zich geen raad; hoe moest hij nu wegkomen? Wat hij ook deed en wat hij ook aan de dieren vroeg, ze zeiden alleen maar:

„Het is erg jammer voor jullie, maar jullie mogen de gang niet in."

En zo zaten Pinkeltje en Pinkelotje een poosje later verdrietig in het holletje van de familie Pluimstaart, en ze keken maar naar de lucht, of er geen regenwolken aankwamen.

Maar elke dag scheen de zon en bleef het heerlijk, droog weer.

Pinkeltje en Pinkelotje keken maar naar de lucht en zuchtten diep, héél diep.

Arme Pinkeltje en arme Pinkelotje!

HOE PINKELTJE TOCH WEG KWAM

„Regen, regen, lieve regen, waar blijf je toch?" zuchtte Pinkeltje. En toen zei hij een beetje boos tegen Pluimstaart:

„Ik vind het erg flauw van jullie, dat ik niet weg mag gaan met mijn raket. Denk je heus, dat die vuurvlam het hele bos in brand zal steken? Daar geloof ik niks van."

„Ik wel," zei Pluimstaart, „en ik gelóóf het niet alleen, maar ik weet het wel heel zeker ook!"

Rrrrrt-rrrrrt-rrrrrt! daar kwamen alle kinderen Pluimstaart de boom inklimmen. Zo vlug ze konden, sprongen ze van tak op tak, tot ze bij hun holletje waren gekomen.

„Wat is er nu weer aan de hand met jullie?" vroeg meneer Pluimstaart.

„Die nare jongens komen er weer aan," riep een van de kinderen, „weet u wel, die jongens, die in onze bomen proberen te klimmen."

„Het is goed, dat je het zegt," zei meneer Pluimstaart, „als ze in onze boom gaan klimmen, stoppen we het hol lekker dicht, dan zien ze er niets van!"

Pinkeltje keek nieuwsgierig naar beneden, en al gauw zag hij de twee jongens aankomen.

Maar de twee jongens klommen niet in de boom, maar gingen er onder op het mos zitten.

Een van de jongens haalde een doosje sigaretten uit zijn zak, en toen staken ze allebei een sigaret op.

„Dat mogen ze helemaal niet," zei Pluimstaart.

Opeens zei een van de kinderen Pluimstaart:

„Kijkt eens, wie daar aankomt!"

Pinkeltje keek naar links en naar rechts, maar hij zag niets. Toen kwam opeens achter de jongens een grote man achter de bosjes te voorschijn, en die man zei met een boze stem: „Kunnen jullie niet lezen?"

Verschrikt sprongen de jongens overeind en ze gooiden gauw hun sigaret op de grond.

De boswachter, want de man was een boswachter, trapte meteen de brandende sigaretten uit en zei:

„Dat is nu al de tweede maal, dat ik jullie hier zie roken, en op de bordjes staat duidelijk dat het verboden is, of denken jullie soms, dat die bordjes daar voor de aardigheid staan."

„Neen meneer," zei een van de jongens zachtjes.

„En waarom staan die bordjes er dan?" vroeg de boswachter weer.

„Voor het brandgevaar," zei de andere jongen.

„Heel juist," zei de boswachter, „een brandende sigaret of lucifer kan het hele bos in brand steken, vooral nu het zo lang niet heeft geregend. Geef allebei je naam maar eens aan me op."

De boswachter pakte een klein opschrijfboekje uit zijn zak en begon de namen van de jongens op te schrijven.

„Goed zo!" zei Pluimstaart tegen Pinkeltje, „die jongens krijgen een lekkere bekeuring."

„Wat is een bekeuring?" vroeg Pinkeltje.

„Dan krijgen ze van de politie een papier thuis, waarop staat, dat ze voor straf een heleboel guldens moeten betalen," zei Pluimstaart, „en zie je nu wel, Pinkeltje, hoe gevaarlijk het droge bos is!"

Pinkeltje knikte even, zuchtte en zei:

„Ik wou, dat ik Wolkewietje maar zag, dan vroeg ik hem, of hij het wilde laten regenen."

Maar het bleef droog en Pinkeltje en Pinkelotje werden steeds verdrietiger.

Op een avond kwamen Snorrebaard en Wiebelstaartje weer eens aanwandelen.

„Ha, die Pinkeltje!" riep Wiebelstaartje vrolijk, toen hij Pinkeltje uit het holletje in de boom zag kijken.

„Hé, zeg! wat kijk je verdrietig! Is er iets niet in orde?" vroeg Snorrebaard.

„Het wil maar niet regenen," riep Pinkeltje terug, „en nu willen de dieren in het bos niet, dat ik met de raket wegga. Ze zijn bang, dat de vuurvlam het bos in brand steekt."

„Daar hebben ze gelijk in," zei Snorrebaard, „maar waarom ga je niet met de raket naar de vijver? Daar zijn haast geen bomen en er is zand op de grond."

„Hoe moet die zware raket daar komen?" vroeg Pinkeltje, „met alle dieren uit het bos kunnen we hem nog niet optillen."

Dat wist Snorrebaard ook niet.

Toen riep Wiebelstaartje opeens:

„Ik weet het! Ik ga mijn vriend Herder halen; die is zó groot en sterk, dat hij de raket wel kan optillen. Ik neem dan ook een wagentje mee," en voordat iemand nog iets kon zeggen, was Wiebelstaartje al weggehold.

De maan scheen al door de takken van de bomen, toen Wiebelstaartje vrolijk blaffend terugkwam met een grote, sterke herdershond.

Maar wat had die malle Wiebelstaartje daar nu achter zich?

Pluimstaart en de andere dieren schoten er van in de lach.

Aan een lang touw trok Wiebelstaartje een poppewagen met zich mee. Het ding hobbelde en bobbelde over de smalle bospaadjes.

„Lachen jullie maar!" riep Wiebelstaartje vrolijk, „Herder en ik helpen Pinkeltje om met de raket te kunnen vertrekken. Vooruit, Herder! we gaan eerst de raket opgraven en dan brengen we hem in de poppewagen naar de vijver."

Lieve help, wat gingen de twee honden aan het graven!

De kluiten aarde vlogen in het rond, en alle dieren holden, wipten en vlogen weg, om niet geraakt te worden.

Het duurde dan ook niet lang, of daar kwam de raket te voorschijn.

Toen trok Wiebelstaartje de poppewagen tot vlak bij de raket, Herder deed zijn grote hondebek wijd open, pakte de raket beet en tilde hem zo in de poppewagen.

„Hoera!" riepen alle dieren, en in optocht liepen ze achter Wiebelstaartje aan, die nu de poppewagen met zijn bek voortduwde.

Pinkeltje en Pinkelotje reden mee op de rug van Snorrebaard.

Toen ze bij de vijver waren gekomen, zette Herder de raket voorzichtig op het zand neer.

Pinkeltje drukte vlug op de knop aan de buitenkant, en langzaam ging het deurtje weer open en kwam het laddertje naar buiten.

Alle dieren waren in een grote kring om de raket gaan zitten en keken heel stil toe om te zien, wat er nog meer zou gaan gebeuren, want ze hadden natuurlijk nog nooit een raket de lucht in zien gaan.

Pinkeltje en Pinkelotje namen nu eerst van ieder dier afscheid, en Pinkeltje bedankte ze allemaal voor wat ze voor hem en Pinkelotje hadden gedaan.

De familie Pluimstaart en de Graafpootjes werden extra bedankt; dat begrijp je zeker wel.

Toen klommen Pinkeltje en Pinkelotje vlug langs het laddertje naar boven; ze wuifden nog even naar alle dieren en wipten toen naar binnen.

132

Het deurtje ging dicht en even later zagen ze onder uit de raket een witte rookwolk komen.

De witte rookwolk werd al groter en groter; de raket begon te zoemen, toen plotseling de witte rookwolk in een rode vlam veranderde.

„Daar heb je de vuurvlam!" riep Snorrebaard.

De raket begon te sissen en bewoog een beetje heen en weer.

De vuurvlam werd groter en groter, en opeens......
hieeeeeeeeeeeee!!! daar was dat rare geluid weer en ging de raket de lucht in.

Alle dieren zwaaiden met hun poten of pootjes.

Héél even zagen ze Pinkeltje en Pinkelotje nog voor een

van de raampjes staan, maar steeds vlugger en vlugger schoot de raket omhoog en het duurde dan ook niet lang, of er was niets meer van te zien.

Wat stil en ook een klein beetje verdrietig gingen alle dieren terug naar hun huisjes en nestjes in het grote bos.

Wiebelstaartje trok de poppewagen weer achter zich aan om hem terug te brengen naar de schuur van het huis van meneer Peters.

In plaats van de raket zat nu Snorrebaard in de poppewagen!

TERUG IN PINKELTJESLAND

Pinkeltje Blauwoog en Pinkeltje Flapoor liepen de volgende avond met hun vrouwtjes op het kerkpleintje van Zilvertorendorp te wandelen.

„Heb je het gehoord?" vroeg mevrouw Blauwoog aan mevrouw Flapoor, „ze zeggen, dat Pinkeltje Witbaard en Pinkelotje met de raket naar beneden zijn gevallen, en dat meneer Pinkelprof nu naar ze toe is."

„Dat is helemaal niet waar," zei Pinkeltje Blauwoog, „zal ik je eens precies vertellen, wat er is gebeurd? Ik hoorde van meneer Pinkelprof zelf, dat Pinkeltje en Pinkelotje wél op de maan zijn geweest, maar dat ze daarna in Nederland zijn terecht gekomen. In Nederland hadden ze geen vuurbollen meer, en zonder vuurbollen kan de raket niet vliegen."

„En wat doen ze nu?" vroeg Pinkeltje Flapoor.

„Meneer Pinkelprof vertelde, dat er een heel grote vogel is gekomen," zei Pinkeltje Blauwoog, „een zwaluw, en die..."

Maar daar riep mevrouw Blauwoog opeens:

„Kijk! kijk! daar boven de kerktoren! wat is dat voor een rare ster?"

Alle vier keken ze omhoog en toen zagen ze een klein, glinsterend ding met een rode vlam er achter, door de lucht schieten.

„Dat is de raket! Dat is Pinkeltje, die terugkomt!" riep Pinkeltje Blauwoog, „laten we het gauw aan iedereen vertellen!"

Alle vier holden ze de straten van Zilvertorendorp door en ze riepen:

„Pinkeltje Witbaard komt terug! Pinkeltje Witbaard komt terug!"

En ze hadden het goed gezien, want het wàs de raket met Pinkeltje en Pinkelotje, die daar door de lucht kwam aanvliegen.

Pinkeltje stond bij het witte bord met de knoppen en Pinkelotje stond bij een van de raampjes.

Pinkeltje riep tegen zijn vrouwtje:

„Ik kan niet zo goed uitkijken door die tulpebol; kijk jij eens, of we al boven Zilvertorendorp zijn."

Pinkelotje drukte haar neusje tegen de ruit van een raampje en riep terug:

„Het is wel erg donker buiten, maar tóch geloof ik, dat ik de toren van Zilvertorendorp zie. Ga eens wat langzamer vliegen, Pinkeltje!"

Vlug drukte Pinkeltje de blauwe knop een eindje in en de raket begon langzamer te vliegen.

Maar al heel gauw riep Pinkelotje:

„Pas op! We zijn al boven het bos en nu zie ik de lichtjes van de huisjes en werkplaatsen van de raket-Pinkeltjes beneden ons."

Meteen drukte Pinkeltje de blauwe knop bijna helemaal in, waarna de raket op dezelfde plaats in de lucht bleef staan.

Pinkeltje kwam nu ook bij een van de raampjes staan en zei:

„Meneer Pinkelprof heeft alle lichten aangestoken. Zie je daar die kring van groene lichtjes? In het midden van die kring moet ik met de raket landen. Weet je wàt, Pinkelotje! Draai jij nu aan het grote wiel, dan kijk ik, of we recht boven de landingsplaats zijn."

Pinkelotje ging nu voor het witte bord staan en Pinkeltje keek door een raampje.

„Een beetje meer naar rechts!" riep Pinkeltje, en toen draaide Pinkelotje aan het grote wiel, om de raket te besturen.

„Nu nog een beetje naar links," zei Pinkeltje, „neen, dat is iets te veel. Een klein beetje terug! We zijn er nu bijna. Stop!!!"

Pinkelotje deed, wat Pinkeltje haar had gezegd en zo was dan de raket precies boven de kring van groene lichtjes aangekomen.

Nu kwam Pinkeltje weer bij het witte bord met de knoppen en draaide vlug een paar kleine wieltjes om, drukte de blauwe knop helemaal in en daar begon de raket zachtjes naar beneden te zakken.

De vuurvlam werd al kleiner en kleiner.

Pinkeltje draaide aan een paar andere knoppen en gru-gru-gru-gru-gru! daar kwamen de vier poten van de raket naar buiten.

De raket zakte lager en lager en Pinkelotje, die weer voor een van de raampjes stond, zag de huisjes en de werkplaatsen van de raket-Pinkeltjes hoe langer hoe dichter bij komen.

Ha, daar zwaaiden al een heleboel raket-Pinkeltjes met hun blauwe mutsje, en kijk! daar stond ook meneer Pinkelprof.

Nu draaide Pinkeltje de blauwe knop een hele slag om; meteen werd de vuurvlam nóg kleiner en toen de raket op zijn poten midden in de kring van groene lichtjes stond, was de vuurvlam helemaal weg.

Even was het stil, maar Pinkeltje had alweer op de witte knop gedrukt, zodat het deurtje openging en het laddertje naar buiten kwam.

Toen Pinkeltje en Pinkelotje uit het deurtje naar buiten kwamen, riepen opeens alle Pinkelmannen:

„Hoera! hoera!! hoera!!! leve Pinkeltje en Pinkelotje, die op de maan zijn geweest! Hoera! hoera!! hoera!!!"

Eerst klom Pinkelotje het laddertje af en toen ze op de grond sprong, werd ze dadelijk door meneer Pinkelprof omhelsd.

Toen daarna Pinkeltje op de grond sprong, kwam meneer Pinkelprof hem met uitgestoken handen tegemoet.

Maar wat gebeurde er nu? daar kwamen opeens alle raket-Pinkelmannen aanhollen; ze pakten Pinkeltje en Pinkelotje beet en tilden hen hoog op hun schouders.

Terwijl ze het Pinkeltjeslied zongen, stapten ze zo naar het kantoor van meneer Pinkelprof.

Toen ze daar binnengebracht waren, moesten ze natuurlijk meteen alle avonturen vertellen, die ze hadden beleefd.

Al gauw was het grote nieuws van hun aankomst in Zilver-torendorp bekend en spoedig kwamen alle vrienden en zelfs de burgemeester om Pinkeltje en Pinkelotje hun geluk-wensen aan te bieden voor de goede afloop van de tocht.

Toen de burgemeester aan Pinkeltje vroeg, wat hij nu wel voor bizonders had meegenomen, zei Pinkeltje:

„Als u het goed vindt, laat ik het u morgen pas zien."

Dat vond de burgemeester best.

Tegen meneer Pinkelprof zei Pinkeltje:

„Die raket van u is een heel, héél prachtig ding! U bent de knapste man van de hele wereld!"

En dat vonden alle anderen ook.

PINKELTJE WORDT UITGELACHEN

De volgende dag was Pinkeltje alweer vroeg naar de raket gegaan, om de tulpebol er uit te halen.

Voorzichtig tilde hij de bol met vier andere Pinkelmannen uit de raket en legde hem op een vrachtautootje, waarop de tulpebol ook maar nét kon liggen.

„Wat is dat voor een ding, Pinkeltje?" vroegen de mannen, „is het een stuk van een boom, of kun je het opeten?"

„Neen," zei Pinkeltje, „het is iets heel bizonders! Helpt me maar vlug, om er een groot dekkleed overheen te trekken."

Toen het dekkleed er goed overheen lag, reed Pinkeltje de auto naar Zilvertorendorp.

Bij het huis van de burgemeester liet hij de auto stoppen.

Van alle kanten kwamen Pinkelmannen en -vrouwen aanlopen om te zien wàt Pinkeltje nu voor bizonders had meegenomen.

Toen de burgemeester ook naar buiten was gekomen, zei Pinkeltje:

„Toen Pinkelotje en ik op de maan waren, was daar niets dan stof, stenen en rotsen, en er was helemaal niets om voor onze koningin mee te nemen.

Gelukkig kwamen we later in Nederland en daar vonden we deze bizondere bol."

Toen Pinkeltje dat had gezegd, trok hij vlug het dekkleed weg.

Alle Pinkelmannen en -vrouwen rekten hun halzen om goed te kunnen kijken.

Ook de burgemeester keek naar de bol, maar niemand zei iets.

Opeens riep een van de Pinkelmannen:

„Bah! wat moet onze koningin nu met zo'n rare bol doen! Ik geloof, dat Pinkeltje Witbaard ons voor de mal houdt."

Toen riep Pinkeltje boos:

„Het is een tulpebol en er komt later een mooie bloem uit."

Maar toen begonnen er meer Pinkelmannen en -vrouwen te roepen. Ze riepen:

„Pinkeltje wil ons voor de mal houden. Laten we die rare tulpebol maar gauw in het water gooien!"

De burgemeester zei niets, maar ook hij keek een beetje boos, toen hij zei:

„Zet dat ding maar met de auto achter mijn huis en kom dan even binnen."

Pinkeltje deed gauw het dekkleed weer over de tulpebol en reed de vrachtauto achter het huis van de burgemeester.

Toen hij daarna bij de burgemeester binnenkwam, zei deze:

„Had je niet iets mooiers kunnen vinden voor de koningin?"

Toen zei Pinkeltje:

„Meneer de burgemeester, alle prachtige dingen, die je op de wereld kunt kopen, heeft onze koningin al. De soldaat van de koning heeft mij gevraagd iets heel bizonders voor de koningin te gaan zoeken. Nu, deze tulpebol ís iets heel bizonders! Onze koningin heeft zo'n tulpebol nog nóóit gezien, en ik weet zeker, dat ze er erg blij mee zal zijn."

„Dat hoop ik," zei de burgemeester met een zucht.

Arme, arme Pinkeltje!

Niemand wilde geloven, dat er uit die tulpebol een mooie bloem zou groeien.

Overal waar Pinkeltje kwam, begonnen ze hem uit te lachen en te plagen, en ze zongen:

> Pinkeltje zat in een raket:
> O jongens, wat een pret!
> Pinkeltje vond een mal, rond ding
> Voor onze lieve koningin!

Pinkeltje werd er eerst boos om en dan riep hij tegen de Pinkeltjes, die het zongen:

„Jullie zijn heel erg dom. Jullie weten niet eens, wat mooi is!"

Maar dan lachten ze nog harder en riepen:

„Ga jij dat rare ding zelf maar bij de koningin brengen, domme, domme Pinkeltje Witbaard!"

Pinkeltje was natuurlijk erg verdrietig over dit alles, en thuis zei hij tegen Pinkelotje:

„Heb je gehoord, hoe lelijk ze allemaal tegen me doen? Als ze morgen wéér beginnen, geef ik ze een klap op hun dikke neuzen!"

Maar Pinkelotje zei:

„Dat zou heel dom van je zijn. Vertel me liever maar eens, wanneer de koningin jarig is!"

„Ik geloof overmorgen," zei Pinkeltje.

„Weet je dat zeker?" vroeg Pinkelotje, „ik dacht, dat ze pas over drie maanden jarig was."

Pinkeltje nam een klein aantekenboekje uit zijn zak, keek er even in, en zei:

„Wat dom van me! Je hebt gelijk; onze koningin is pas over drie maanden jarig. Ik heb me vergist. Dat komt natuurlijk, doordat we met die raket op reis zijn geweest. Daardoor ben ik met de tijd in de war."

„Dat kan best zo zijn," zei Pinkelotje, „maar luister nu eens goed, naar wat ik je heb te vertellen."

Toen vertelde Pinkelotje, wat ze had bedacht en Pinkeltje begon hoe langer hoe vrolijker te kijken.

Toen Pinkelotje was uitverteld, sprong Pinkeltje op, gaf Pinkelotje een dikke zoen en riep:

„Dat is een reuze plan! Dàt gaan we doen!"

En wàt ze toen gingen doen, moet je in de volgende hoofdstukken maar lezen.

PINKELTJE EN PINKELOTJE GAAN OP REIS

Heel, héél vroeg in de morgen kwamen Pinkeltje en Pinkelotje de volgende dag hun huisje al uit.

Het was nog bijna helemaal donker, toen Pinkeltje de deur goed op slot deed en de sleutel in zijn zak stak.

Zonder iets te zeggen, liepen ze vlug de berg af, de brug over, en door de straten van Zilvertorendorp naar het huis van de burgemeester.

Iedereen in Zilvertorendorp sliep nog, toen Pinkeltje en Pinkelotje om het huis van de burgemeester heen liepen, naar de plaats, waar de auto met de tulpebol stond.

Vlug wipten ze in de auto en het duurde niet lang, of ze reden het dorp door, de brug over en het bos in.

„Ziezo," zuchtte Pinkeltje, „daar gaan we dan. Ik hoop. dat alles zo zal gaan, als jij het hebt bedacht, Pinkelotje."

„Dat hoop ik ook," zei Pinkelotje.

Ze reden het hele bos door, kwamen voorbij de plaats, waar de raket stond, reden toen een lange, rechte weg af en kwamen over bergen en door dalen, waar hier en daar een klein dorpje of stadje van andere Pinkeltjes lag.

Zonder ophouden reden ze door, tot Pinkelotje opeens uitriep:

„Daar zie ik de gouden torens van het paleis van koning Pinkelpracht en koningin Pinkelschoon!"

„Dan zijn we al heel gauw, waar we moeten zijn," zei Pinkeltje.

De torenklok van de stad sloeg juist één uur, toen ze de stad binnenreden.

In de stad was het heel wat drukker dan in Zilvertorendorp en daarom reed Pinkeltje erg voorzichtig door de straten naar het paleis, waarin de koning en de koningin woonden.

Voor de poort van het paleis stopte Pinkeltje de auto, en samen met Pinkelotje stapte hij uit en liep naar een Pinkelsoldaat toe, die voor de poort op wacht stond.

„Soldaat!" zei Pinkeltje, „ik heb hier een héél belangrijke brief voor de koning. Kunt u die dadelijk aan hem geven?"

De soldaat keek Pinkeltje een beetje boos aan en zei:

„Ik kan niets voor je doen, Pinkelmannetje, maar ik zal wel even bellen, misschien komt er dan wel iemand, die je helpen wil."

De soldaat drukte op een knopje naast de poort en even later kwam er een kleine Pinkelmeneer aanlopen.

Het was vast en zeker een erg deftige Pinkelmeneer, want hij was prachtig gekleed.

Hij droeg een witte broek, witte kousen, een blauwe jas met gouden knopen en rode schoenen met heel grote, gouden strikken er op.

„Waarom bel je, Pinkelsoldaat?" vroeg de Pinkelmeneer met een deftige stem, „en wat zijn dat voor twee malle Pinkeltjes? Dat zijn zeker Pinkelboertjes van buiten de stad."

„Ze zeggen, dat ze een brief voor de koning hebben," zei de Pinkelsoldaat.

„Een brief voor de koning? Wat een onzin! Zeker weer een brief, waarin ze om geld vragen. Neen hoor, de koning is nu niet te spreken; komt morgen maar terug!" zei de Pinkelmeneer.

„Heel best, meneer!" zei Pinkeltje, „maar wilt u dan misschien deze brief alvast aan de koning geven?"

„Kom morgen ook maar met de brief terug; ik heb daarvoor nu geen tijd," zei hij weer.

Juist toen de deftige meneer wilde weggaan, wandelde een veel oudere Pinkelman de poort uit.

Achter deze Pinkelman liepen wel tien Pinkelsoldaten.

Toen de Pinkelsoldaat, die op wacht stond, deze Pinkelman zag, ging hij opeens keurig rechtop staan, deed zijn voeten vlak bij elkaar en hield zijn geweer recht voor zich uit.

De oude Pinkelman keek eens naar Pinkeltje en Pinkelotje en vroeg:

„Wat willen jullie?"

Meteen antwoordde Pinkeltje:

„Ik heb een brief voor de koning, en ik vroeg aan die Pinkelmeneer, of hij die brief aan de koning wilde geven, maar dat wilde hij vandaag niet doen, omdat hij het te druk had."

Toen draaide de deftige Pinkelmeneer zich vlug om, maakte een diepe buiging en zei:

„Och, koning Pinkelpracht, dit zijn van die gewone Pinkeltjes; ze komen natuurlijk weer om geld vragen of . . ."

Maar wat was dat!

De koning keek opeens heel erg boos en zei:

„Houd je mond, meneer Pinkelprul, ik vraag je niets."

Verschrikt keek de deftige meneer de koning aan en deed gauw een paar stappen terug.

Toen keek de koning weer naar Pinkeltje en zei:

„Het is vreemd, maar ik geloof, dat ik u wel eens meer heb gezien. Hoe heet u?"

„Ik heet Pinkeltje Witbaard en ik kom uit Zilvertorendorp; en dit is Pinkelotje, mijn vrouw, koning Pinkelpracht," zei Pinkeltje erg beleefd, terwijl hij diep zijn mutsje afnam.

„Pinkeltje Witbaard?" zei de koning langzaam, „Pinkeltje Witbaard? Die naam heb ik meer gehoord!"

De koning dacht heel diep na, terwijl hij met zijn hand door zijn witte baard streek.

Opeens riep hij uit:

„Natuurlijk, nu weet ik het weer! U is de Pinkelman, die de flonkersteen heeft teruggebracht! ¹) Hoe kon ik dat zo gauw vergeten. Hebt u een brief voor mij?"

„Ja, koning Pinkelpracht," zei Pinkeltje, „maar als u het goed vindt, vertel ik u alles nog veel liever."

¹) Het verhaal van de flonkersteen komt voor in „Pinkeltje en de Flonkersteen".

„Zo, zo," lachte de koning, „ga dan maar gauw met me mee!"

De koning keerde zich om en liep voor Pinkeltje en Pinkelotje uit, weer terug naar het paleis.

Alle Pinkelsoldaten presenteerden het geweer, en meneer Pinkelprul boog eerst heel diep voor de koning en toen nog eens heel diep voor Pinkeltje en Pinkelotje!

Pinkeltje, die naast Pinkelotje achter de koning liep, fluisterde Pinkelotje in haar oor:

„Ik wist wel, dat het de koning was, maar ik deed net, of ik hem niet herkende."

„Waarom deed je dat?" vroeg Pinkelotje.

„Als de koning zo gewoon uitgaat," zei Pinkeltje, „wil hij nooit weten, dat hij de koning is, want de Pinkeltjes, die op straat lopen, maken dan allemaal buigingen voor hem, lopen soms met hem mee en dat vindt de koning dan erg vervelend."

„Dat kan ik me best voorstellen," zei Pinkelotje, „het is soms niet eens zo leuk om koning te zijn."

Maar daar draaide de koning zich om en zei:

„We gaan in mijn werkkamer zitten; daar mogen geen andere Pinkeltjes binnenkomen."

Toen ze in de werkkamer van de koning zaten, zei deze:

„En meneer Pinkeltje Witbaard, wàt wilt u nu aan mij vertellen?"

Pinkeltje antwoordde:

„Een hele tijd geleden kwam bij de burgemeester van Zilvertorendorp een Pinkelsoldaat, die mij wilde spreken. Hij vertelde me, dat u hem naar mij had toegestuurd, omdat u wilde, dat ik iets heel bizonders zou zoeken voor onze lieve koningin. Ik ben toen eerst met Pinkelotje met een raket naar de maan gegaan, maar daar was niets te vinden. Toen zijn we met de raket verkeerd gegaan en in Nederland terechtgekomen. Uit Nederland heb ik toen een prachtige tulpebol meegenomen, omdat hier, in ons land, nog nooit een tulpebol is geweest."

„Een tulpebol?" riep de koning verheugd uit, „maar dat is prachtig! Dat is iets heel bizonders! Dat hebben we hier nog nooit gehad! Wat zal de koningin daar blij mee zijn! Vertel eens vlug, waar is die tulpebol nu?"

„Die heb ik op een vrachtauto meegenomen," zei Pinkeltje, „en die vrachtauto staat voor de poort."

„Wat vertel je me nu!" riep de koning, „haal dan de bol gauw door de poort naar binnen, voor dat er wat mee gebeurt!"

Toen riep de koning héél hard:

„Pinkelprul! Pinkelprul! kom meteen hier!"

Het duurde maar heel even, of de deftige meneer Pinkelprul kwam de kamer binnenhollen, zag in zijn haast het matje voor de deur niet, gleed er op uit, schoot voorover op zijn buik en gleed verder tot hij voor de koning lag.

„Pinkelprul! Pinkelprul!" zei de koning hoofdschuddend, „wanneer zul je toch eens leren om stevig op je benen te staan."

„Ik zal het proberen, koning Pinkelpracht," zei de arme meneer Pinkelprul, die er van schrik een rood hoofd van had gekregen.

Maar de koning zei alweer:

„Wijs zo vlug mogelijk aan meneer Pinkeltje Witbaard de weg naar de poort, en zorg, dat er Pinkelsoldaten bij de

148

vrachtauto gaan staan, om er op te letten, dat er niemand aankomt."

„Ik zal er voor zorgen, koning Pinkelpracht," zei meneer Pinkelprul, en vlug liep hij met Pinkeltje de kamer uit.

Toen Pinkeltje weg was, zei Pinkelotje tegen de koning:

„U moet de bol dadelijk in de grond laten stoppen, dan komt de tulpebloem misschien nog wel op de verjaardag van de koningin uit."

En toen vertelde Pinkelotje ook, hoe de Pinkeltjes in Zilvertorendorp Pinkeltje hadden geplaagd, toen hij de tulpebol had laten zien. Ook vertelde ze, dat de burgemeester helemaal niet aardig tegen hem was geweest.

Intussen kwam Pinkeltje, met de hijgende meneer Pinkelprul achter zich aan, de poort uit hollen.

De Pinkelsoldaat, die op wacht stond, riep verschrikt:

„Wat is er, meneer Pinkelprul? Heeft die hollende Pinkel iets gestolen? Zal ik hem pakken?"

„Ben je mal, soldaat!" riep meneer Pinkelprul, „die Pinkel is een heel goede vriend van de koning!"

Toen dan ook even later Pinkeltje met de vrachtauto door de poort naar binnen reed, presenteerde de soldaat deftig het geweer voor hem.

DE TULPEBOL WORDT GEPLANT

Pinkeltje en Pinkelotje mochten van de koning een poosje in het paleis blijven wonen.

De volgende dag zei de koning tegen Pinkeltje, dat hij de tulpebol in het park voor het paleis moest planten.

Dat vond Pinkeltje een leuk werk.

Eerst liet hij in het midden van het park een heel groot, diep gat graven.

Dat gat was zó groot en diep, dat er wel twee Pinkelmannen in konden staan en rondlopen.

Toen dat klaar was, werd de tulpebol er door acht Pinkel-

mannen voorzichtig ingezet, en alle grond, die uit het gat was gekomen, werd nu over en om de tulpebol gestrooid en wat aangedrukt.

Terwijl Pinkeltje zo bezig was, waren er steeds een heleboel Pinkelmannen en -vrouwen, die stonden te kijken, en die maar niet begrepen, wat die rare, bruine bol met dat witte puntje er uit, voor een ding was.

Toen de tulpebol goed onder de grond was gestopt, liet Pinkeltje de brandweer komen om alle grond bij de bol wat nat te spuiten.

De Pinkeltjes, die stonden te kijken, begrepen er niets van en ze zeiden:

„Wat doet die rare Pinkeltje Witbaard toch; zoiets hebben we nog nooit gezien."

Ook de koningin keek door een raam van het paleis vol verbazing naar het planten van de bol en ze vroeg aan de koning:

„Wat is dat voor een bruin ding, dat Pinkeltje Witbaard daar in de grond stopt?"

„Dat zeg ik je lekker niet!" zei de koning, „je moet maar eens goed opletten, wat er binnenkort gaat gebeuren."

„Waarom vertel je het me niet? Ik vind het echt flauw van je, Pinkelpracht," zei de koningin, „jij hebt altijd van die flauwe grapjes, waar ik niets van begrijp."

Toen lachte de koning, gaf de koningin een zoen en zei:

„Wacht maar tot je jarig bent; dan zul je het wel zien."

Om de plaats, waar de tulpebol in de grond zat, werd een groot hek gezet.

Telkens kwamen er Pinkeltjes kijken, of er al wat te zien was, maar er gebeurde niets.

Alles bleef zoals het was: een stukje grond met een hek er om.

In de stad begonnen sommige Pinkeltjes Pinkeltje Witbaard al een beetje voor de mal te houden, maar Pinkeltje zei niets, en liet alleen maar, òm de dag, de brandweer de grond om en bij de tulpebol flink nat maken.

„Pinkeltje," zei Pinkelotje op een keer, „geloof jij, dat de tulpebloem op tijd zal uitkomen?"

„Vast en zeker!" zei Pinkeltje, „het is hier een warm land en daarom groeit alles hier veel vlugger dan in Nederland."

En Pinkeltje had gelijk, want na een week werd de grond rondom de bol omhoog gedrukt, en kwam er een dikke, grote, witte punt te voorschijn.

Telkens kwamen er nu Pinkeltjes kijken.

Zoiets hadden ze nog nooit gezien!

Weer een paar dagen later was de punt wel zo groot als een Pinkelman geworden.

Omdat het overdag zo warm was, liet Pinkeltje nu elke avond de brandweer de grond natspuiten.

De tulp groeide en groeide en werd hoger en hoger.

Er kwamen bladeren aan, die boven de ramen van het paleis uitstaken, en de steel werd zo dik als een Pinkelvrouwtje.

„Het is een wonder! Zoiets bizonders hebben we nog nooit hier gezien!" zeiden de Pinkeltjes in de stad tegen elkaar.

En als Pinkeltje en Pinkelotje door de stad liepen, werden ze niet meer uitgelachen, maar de Pinkeltjes stootten elkaar dan aan en zeiden:

„Daar heb je ze! Dat is de Pinkelman, die met een raket naar Nederland is gegaan om die wonderlijke plant te halen."

152

En de tulp groeide als een hoge toren boven de stad uit. Hij werd veel en veel hoger dan de gouden torens van het paleis.

„Wacht maar," zei Pinkeltje tegen Pinkelotje, „als de tulpebloem open gaat, zul je eens wat zien!"

Over een week was de koningin jarig, en de Pinkeltjes van Goudentorenstad begonnen de straten en de huizen al te versieren.

Overal hingen ze slingers van dennegroen en van gekleurd papier, met duizenden lampjes er tussen.

En heel, héél hoog boven de stad begon de knop van de tulp hier en daar rode strepen te krijgen.

De hele stad was prachtig versierd en Pinkeltje fluisterde Pinkelotje in haar oor:

„Weet je, wat ik vast geloof?"

„Nu, wàt geloof je dan?" vroeg Pinkelotje.

„Ik geloof, dat de tulp morgen uitkomt, precies op de verjaardag van de koningin!" antwoordde Pinkeltje.

„Dat zou heerlijk zijn," zei Pinkelotje.

Toen de volgende dag de zon opkwam, begonnen alle klokken in de stad te luiden.

Bim-bam-bim-bam-bim-bam!

Dat was, omdat de lieve koningin Pinkelschoon jarig was.

Pinkeltje keek meteen uit zijn raam naar buiten, naar de knop van de tulp en ... hij zag, dat de knop nu helemaal prachtig rood was!

Overal in de stad keken de Pinkeltjes omhoog naar de knop van de reuzebloem.

Juist op het ogenblik, dat de koning en de koningin naar buiten kwamen, gebeurde, wat Pinkeltje zo had gehoopt: de bladeren van de knop gingen van elkaar, en daar opende zich de tulpebloem.

De tulp was zó prachtig, dat de koning en de koningin en alle Pinkeltjes, die het zagen, geen woord konden zeggen.

De koningin bleef een hele tijd naar boven, naar de prachtige, rode tulp kijken!

Toen keerde ze zich om naar de koning en zei:

„Dit is het mooiste verjaarscadeau, dat ik ooit heb gekregen. Zo'n prachtige, grote bloem is een wonder! Dank je heel, héél erg, Pinkelpracht!" En toen gaf ze de koning wel twee dikke zoenen.

Maar de koning zei lachend:

„Eigenlijk moet je mij niet bedanken, maar Pinkeltje Wit-baard en zijn vrouwtje."

„Dat is waar," riep de koningin, „waar zijn ze?"

Maar niemand wist waar ze waren, want Pinkeltje en Pinkelotje zaten buiten de stad op een heuvel en keken van daar naar de tulp.

„O Pinkeltje, Pinkeltje!" riep Pinkelotje, „wat is die tulp een mooie bloem! Wat moet het toch heerlijk zijn, om in het land te wonen, waar zulke prachtige bloemen groeien!"

WAT PINKELTJE WENSTE

Zo zaten Pinkeltje en Pinkelotje nog stil te kijken, toen ze heel in de verte muziek en trommels hoorden.

„Wat zou dat zijn?" vroeg Pinkelotje.

„Ik denk, dat het Pinkelmuzikanten zijn, die met een heleboel Pinkeltjes naar de koningin gaan om haar te feliciteren en cadeautjes te geven," zei Pinkeltje. „Zullen we boven op de heuvel gaan staan, dan kunnen we ze zien, als ze uit het bos komen."

Ze hoefden niet lang te wachten, want al spoedig zagen ze wel tien en tien en nog eens tien Pinkelmuzikanten met daarachter een hele rij Pinkelmannen en -vrouwen.

Achter de muzikanten kwam eerst nog een open auto en daar achter liepen . . .

„Kijk! kijk!" riep Pinkelotje opeens, „daar in die auto zit onze burgemeester, en daar achter loopt Pinkeltje Bruinhaar met zijn vrouw! En kijk, daar zijn ook Pinkeltje Blauwoog en Pinkeltje Flapoor! Half Zilvertorendorp loopt achter de muziek!!! Laten we er gauw naar toe gaan!"

Dat vond Pinkeltje best en vlug liepen ze de heuvel af naar al hun kennissen toe.

Maar wat gebeurde daar?

De muziek hield plotseling op met spelen en alle Pinkeltjes bleven heel stil staan; óók de auto met de burgemeester reed niet verder. Allemaal staarden ze met open monden in de verte naar de Goudentorenstad, waar, hoog en prachtig, de tulp bovenuit stak.

Toen Pinkeltje en Pinkelotje bij de burgemeester kwamen,

keek deze heel verbaasd, maar hij zei alleen maar:

„Wat is dat mooi!"

Toen begonnen de andere Pinkeltjes door elkaar te roepen en te vragen:

„Wat is dat? Is dat een bloem? Hoe komt die bloem daar? Hoe komt hij zo groot? Wie heeft dat gedaan?"

Pinkeltje moest eerst wel even lachen om al die verbaasde gezichten, maar toen zei hij:

„Die grote, prachtige bloem komt uit die rare, bruine bol, die jullie weg wilden gooien, en waarom jullie mij zo hebben uitgelachen!"

Toen werden alle Pinkeltjes uit Zilvertorendorp en ook de burgemeester erg stil en ze keken erg verlegen.

Maar Pinkeltje vertelde verder:

„Omdat ik bang was, dat jullie werkelijk de bol zouden weggooien of stukmaken, zijn Pinkelotje en ik er 's morgens héél vroeg mee weggereden. We hebben de bol toen dadelijk aan de koning gebracht. Ik mocht de bol planten, en de koning was er erg blij mee."

Toen stond de burgemeester op in zijn auto en zei:

„Pinkeltje Witbaard, we zijn allemaal erg dom geweest om je niet te geloven, en dat vind ik erg jammer!"

Toen vroeg de burgemeester, of Pinkeltje en Pinkelotje met hem in zijn auto naar de stad wilden meerijden.

Dat deden Pinkeltje en Pinkelotje graag en zo kwamen zij weer terug in de stad van de jarige koningin.

En nu wil je het misschien niet geloven, maar Pinkeltje en Pinkelotje moesten van de koningin in het paleis van het feestmaal komen meeëten en ze moesten naast de koningin zitten!

Ze kregen ook een veel groter stuk taart dan de andere gasten en Pinkeltje mocht zelfs nog een wens doen.

En wat denk je, dat hij vroeg?

Een grote taart, of een auto, of een heleboel geld?

Neen hoor!!!

Pinkeltje vroeg, of de koning en de koningin aan meneer Pinkelprof wilden vragen, of hij nog eenmaal met de raket naar Nederland mocht, want hij wilde zo graag alles, wat er met de raket en de tulp was gebeurd, aan meneer Dick Laan vertellen.

Dat mocht gelukkig, want anders had meneer Dick Laan dit verhaal nooit kunnen opschrijven!

EINDE

INHOUD